W9-AZL-599

자전거 도둑

자전거 도둑

초판 1쇄 발행_ 1999년 12월 20일
초판 59쇄 발행_ 2009년 1월 5일

지은이_ 박완서
그린이_ 한병호
펴낸이_ 한혁수

편집_ 김순이, 김윤정, 김나윤, 안나영, 안진희, 이지나
디자인_ 유리라
마케팅_ 김남원, 곽은영, 차상준
제작관리_ 김남원

펴낸곳_ 도서출판 다림
등록_ 1997년 8월 1일 (제1−2209호)
주소_ 서울 구로구 구로동 191−7 에이스 8차 906호
전화_ (02)538−2913 팩스_ (02)563−7739
E-mail_ darimbooks@hanmail.net
다림 카페_ cafe.daum.net/darimbooks

ⓒ 1999 박완서

ISBN 978−89−87721−21−7 73810

이 책 내용의 일부 또는 전부를 사용하려면 반드시
저작권자와 도서출판 다림의 서면 동의를 받아야 합니다.
책값은 뒤표지에 있습니다.

박완서 단편집

자전거 도둑

박완서 글 · 한병호 그림

다림

작가의 말

여기 모인 동화는 79년 샘터사에서 나온 어른을
위한 동화집 "달걀은 달걀로 갚으렴"에서 뽑아 낸 것들이다.
그 동화집은 나의 최초의 동화집일뿐 아니라, 청탁에 의해
여기 저기 발표한 것을 묶은 것이 아니라 자발적으로 내가
쓰고 싶어서 쓴 미발표 원고를 묶었다는 것으로도 나에게는
의미 있는 책이다. 그 때도 나는 원고 청탁에 몰리는 조금도
한가하지 않은 작가였는데도 왜 이런 일을 할 수가
있었을까. 아마 70년대라는 암울한 시대와 관련이 있지
않나 싶다. 소설로는 못 풀어 낼 답답한 심정을 동화라는
형식에 의탁하고자 했을 것이다. 옛날 우리 할아버지
할머니가 삶의 경륜과 가슴에 박힌 못을 해학으로
단순화시켜 손자들에게 들려주듯이.
　지금도 그렇지만 그 때도 내 얄팍한 글재주가 선인들의

곰삭은 지혜를 어찌 흉내라도 낼 수 있었을까만은,
내 나름으로 열심히 때묻지 않은 정신과 교감을 시도했다는
걸로도 각별한 애착이 가는 글들이다. 샘터사가 그 동안
몇 번 제목을 바꿔 가면서까지 절판시키지 않고 새로운
독자와 만나도록 해 준 걸 나로서는 과분한 복이라고
여기고 있었는데, 이번에는 도서출판 다림에서 그 안의 것
중 어린 독자가 읽어야 할 작품을 뽑아 아름다운 그림까지
곁들여 새로운 책으로 꾸며 주니 얼마나 기쁜지 모르겠다.
늘 새로운 독자와 만날 수 있어서 동화책이란 늙을 줄
모르는 책이 아닌가 싶어 새삼 동화를 쓴 보람을 느낀다.

도서출판 다림과 아름다운 그림으로 내 글을 빛내 주신
한병호 화백께 깊은 감사를 드린다.

박 완 서

차 례

자전거 도둑

수 남이는 청계천 세운 상가 뒷길의 전기 용품
도매상의 꼬마 점원이다.

수남이란 어엿한 이름이 있는데도 꼬마로 통한다.
열여섯 살이라지만 볼은 아직 어린아이처럼 토실하니 붉고,
눈 속이 깨끗하다. 숙성한 건 목소리뿐이다. 제법 굵고
부드러운 저음이다. 그 목소리가 전화선을 타면 점잖고
떨떠름한 늙은이 목소리로 들린다.

이 가게에는 변두리 전기 상회나 전공들로부터 걸려
오는 전화가 잦다. 수남이가 받으면,

"주인 영감님이십니까?"

하고 깍듯이 존대를 해 온다.

"아, 아닙니다. 꼬맙니다."

수남이는 제가 무슨 큰 실수나 저지른 것처럼 황공해
하며 볼까지 붉어진다.

"짜아식, 새벽부터 재수 없게 누굴 놀려. 너 이따 두고
보자."

이런 호령이라도 들려 오면 수남이는 우선 고개를
움츠려 알밤을 피하는 시늉부터 한다. 설마 전화통에서
알밤이 튀어나올 리는 없는데 말이다. 실수만 했다 하면
알밤 먹을 것을 예상하고 고개가 자라 모가지처럼
오그라드는 게 수남이가 이 곳 전기 상회에 취직하고
나서부터 얻은 조건 반사다.

이 곳 단골 손님들은 우락부락한 전공들이 대부분이어서
성질들이 거칠고 급하다. 자기가 요구하는 것을 수남이가
빨리 알아듣고 척척 챙기지 못하고 조금만 어릿어릿하면
'짜아식' 하며 사정없이 밤송이 같은 머리에 알밤을 먹인다.

수남이는 그 숱한 전기 용품 이름을 척척 알아들을 수
있을 만큼 일에 익숙해질 때까지 숱한 알밤을 먹었다.

그런데 일에 익숙해진 후에도 수남이는 심심찮게 까닭도
없는 알밤을 얻어 먹는다. 이 거친 사내들은 그런 짓궂은

방법으로 수남이를 귀여워하는 것이다. 예쁜 아이를 보면
물어뜯어 울려 놓고 마는 사람이 있듯이, 이 사내들은 그런
방법으로 수남이에게 애정 표시를 했다.

"짜아식, 잘 잤냐?"

"짜아식, 요새 제법 컸단 말야. 장가들여야겠는데,
짜아식 좋아서……."

그리곤 알밤이다. 주먹과 팔짓만 허풍스럽게 컸지, 아주
부드러운 알밤이다. 그러니까 수남이는 그만큼 인기 있는
점원인 셈이다.

수남이는 단골 손님들에게만 인기가 있는 게 아니라,
주인 영감에게도 여간 잘 뵌 게 아니다. 누구든지
수남이에게 알밤을 먹이는 걸 들키기만 하면 단박 불호령이
내린다.

"왜 하필 남의 머리를 쥐어박어? 채 굳지도 않은 머리를.
그게 어떤 머린 줄이나 알고들 그래, 응? 공부 많이 해서
대학도 가고 박사도 될 머리란 말야. 임자들 같은
돌대가리가 아니란 말야."

그러면 아무리 막돼먹은 손님이라도 선생님 꾸지람에
떠는 초등 학생처럼 풀이 죽어서 수남이에게 진심으로
미안해 했다. 그리고는,

"꼬마야, 그럼 너 요새 어디 야학이라도 다니니?"

하며 은근히 부러워하는 눈치까지 보였다. 그러면 영감님은 딱하다는 듯이 혀를 차며,

"아니, 야학은 아무 때나 들어가나. 똥통 학교라면 또 몰라. 수남이는 내년 봄에 시험 봐서 들어가야 해. 야학이라도 일류로, 그래서 인석이 그저 틈만 있으면 책이라고. 허허……."

수남이는 가슴이 크게 출렁인다. 수남이는 한 번도 주인 영감님에게 하다못해 야학이라도 들어가 공부를 해 보고 싶단 말을 비친 적이 없다. 맨손으로 어린 나이에 서울에 와서 거지도 안 되고 깡패도 안 되고 이런 어엿한 가게의 점원이 된 것만도 수남이로서는 눈부신 성공인데, 벼락맞을 노릇이지, 어떻게 감히 공부까지를 바라겠는가.

그러면서도 자기 또래의 고등 학생만 보면 가슴이 짜릿짜릿하던 수남이다. 처음 전기 용품 취급이 서툴러 시험을 하다 툭하면 손 끝에 감전이 되어 짜릿하며 화들짝 놀랐던 것처럼, 고등 학교 교복은 수남이의 심장에 짜릿한 감전을 일으키며 가슴을 온통 마구 휘젓는 이상한 힘이 있었다.

그런 수남이의 비밀을 주인 영감님은 알고 있었던

것이다. 수남이는 부끄럽고도 기뻤다.

그래서 수남이는 "내년 봄에 시험 봐서 들어가야 해. 야학이라도 일류로……" 할 때의 주인 영감님이 그렇게 좋을 수가 없다. 그 소리를 듣기 위해서라면 그까짓 알밤쯤 하루 골백 번을 맞으면 대수랴 싶다. 그런 소리를 자기를 위해 해 주는 주인 영감님을 위해서라면 뼛골이 부러지게 일을 한들 눈꼽만큼도 억울할 것이 없을 것 같다. 월급은 좀 짜게 주지만, 그 감미로운 소리를 어찌 후한 월급에 비기겠는가.

수남이의 하루는 눈코 뜰 새 없이 고단하지만 행복하다. 내년 봄 — 내년 봄은 올 봄보다는 멀지만 오기는 올 것이다. 그리고 영감님이 잘못 알아서 그렇지 시험 볼 때는 봄이 아니라 겨울이다. 겨울은 봄보다 이르다.

수남이는 온종일 눈코 뜰 새 없이 바쁘게 일을 하고 밤에는 가게 방에서 숙직을 한다. 꾀죄죄한 다후다* 이불에 몸을 휘감고 나면 방바닥이야 차건 더웁건 잠이 쏟아진다.

그럴 때 "인석은 그저 틈만 있으면 책이라고" 하던 주인 영감님의 목소리가 생생하게 들려 온다. 수남이는 낮 동안

---

* **다후다** : 합성 섬유의 한 종류.

책은커녕 신문 한 귀퉁이 읽은 적이 없다. 도대체가 그럴 틈이 없다. 점원이 적어도 세 명은 있어야 해 낼 가게 일을 혼자서 해 내자니 여간 벅찬 것이 아니다. 그래도 수남이는 혹사당하고 있다는 억울한 생각 같은 것은 전혀 없다. 어쩌다 남들이 영감님에게,

"꼬마 혼자 데리고 벅차시겠습니다. 좀 큰 애 하나 더 쓰셔야죠."

영감님은 그런 소리를 제일 싫어한다. 벌레라도 씹어 먹은 듯이 이상야릇한 얼굴로 상대방을 흘겨보며,

"누가 뭐 사람 더 쓰기 싫어 안 쓰나. 어디 사람 같은 놈이 있어야 말이지. 깡패 놈이라도 걸려들어 봐. 우리 수남이가 물든다고. 이런 순진한 놈일수록 구정물 들긴 쉽거든."

얼마나 고마운 주인 영감님인가. 이런 고마운 어른을 위해 그까짓 세 사람이 할 일 혼자 못 할까 하고 양팔의 근육이 팽팽히 긴장한다.

그런 고마운 어른이 보지도 않는 책을 틈만 있으면 본다고 남들에게 자랑을 한 뜻은 밤에라도 잠만 자지 말고 열심히 공부해 두라는 뜻일 것이다. 수남이가 그렇게 풀이한 것이다. 그런 생각을 하면 눈이 말똥말똥해지며 잠이 저만큼 달아난다. 혹시나 하고 보따리 속에 찔러

가지고 온 중학교 때 교과서랑 고등학교까지 다닌 형이 쓰던 참고서 나부랭이를 이렇게 유용하게 쓸 줄은 정말 몰랐었다. 책이라야 통틀어 그것뿐이다.

　주인 영감님이 심심할 때 사 본 주간지 같은 것이 굴러다닐 적도 있어서 소년다운 호기심이 동하지 않는 것도 아니었지만 "인석은 그저 틈만 있으면 책이라고" 하며 주인 영감님이 가리키는 책이란 결코 이런 주간지 조각이 아닐 것이라는 영리한 짐작으로 수남이는 결코 그런 데 한눈을 파는 법이 없다. 시간이 아까워서라도 그렇게는 할 수 없다.

　가게를 닫고 셈을 맞추고 주인 댁 식모가 날라 온 저녁을 먹고 나서 혼자가 될 수 있는 시간은 거의 열한 시 경이다.

　그 때부터 공부라도 해야 되는 것이다. 그러고도 수남이는 이 동네 가게의 누구보다도 먼저 일어나야 하는 것이다. 수남이의 부지런함은 이 근처에서도 평판이 자자했다.

　제일 먼저 가게 문을 열고, 물뿌리개로 골목길에 물을 뿌리고는 긴 골목길을 남의 가게 앞까지 말끔히 쓸고 나서 가게 안 물건 먼지를 털고, 어떡하면 보기 좋을까 연구를 해 가며 다시 진열을 하고 제 몸단장까지 개운하게 끝낸다. 그제야 주인 영감님이 나온다.

주인 영감님은 만족한 듯 빙긋 웃고 '짜아식' 하며

손으로 수남이의 머리를 더듬는다. 그러나 알밤을 먹이는

일은 한 번도 없었다. 따뜻하고 큰 손으로 머리를 빗질하듯
두어 번 쓸어내려 주고는, 부드러운 볼로 해서 둥근
턱까지를 큰 손바닥에 한꺼번에 감쌌다가는 다시 한 번
'짜아식' 하곤 놓아 준다. 수남이는 그 시간이 좋다. 그래서
남보다 일찍 일어나야 하는 것이다.

아직은 육친애*에 철모르고 푸근히 감싸여야 할 나이다.
그를 실제 나이보다 어려 뵈게 하는, 아직 상하지 않은
순진성이 더욱 그에게 육친애를 목마르게 한다. 주인
영감님의 든든하고 거친 손에서 볼과 턱을 타고 전해 오는
따뜻, 훈훈함은 거의 육친애적이었고 그래서 수남이는
그 시간이 기다려질 만큼 좋았고, 꿀같이 단 새벽잠을 떨쳐
낸 보람을 느끼고도 남을 충족된 시간이기도 했다.

그 어느 해보다도 긴 겨울이 가고 봄이 왔다. 내년 봄이
아니라 올 봄이 온 것이다. 캘린더에는 벚꽃이 만발해
있었다. 그런데도 그 어느 해보다도 길게 해 먹은 겨울은
뭘 아직도 덜 해 먹었는지 화창한 봄날에 끼여들어 심술을
부렸다. 별안간 기온이 급강하하더니 바람까지 세차게
몰아쳤다.

*육친애 : 부모 형제의 사랑.

낮 동안 떼어서 세워 놓은 가게 판자 문이 요란한 소리를
내고 나자빠지는가 하면, 가게 함석 지붕은 얇은 헝겊처럼
곧 뒤집힐 듯이 펄럭대고, 골목 위 공중을 가로지른
전화줄에서는 온종일 귀신의 휘파람 같은 이상한 소리가
났다.

낮에는 이 가게 골목에서 사고까지 났다. 전선을
도매하는 집 아크릴 간판이 다 마른 빨래처럼 휠휠 나는가
했더니, 곧장 땅으로 떨어지면서 때마침 지나가던 아가씨의
정수리를 들이받고 떨어졌다.

피가 아가씨의 분결 같은 볼을 타고 흘러 흰 스웨터에
선명한 붉은 반점을 줄줄이 그렸다. 피를 보자 다 큰
아가씨가 어린애처럼 앙앙 울어댔다.

가게마다에서 사람들이 뛰어나왔으나 아가씨를 부축해서
병원으로 달려간 것은 바람에 간판을 날린 전선 도매집
주인 아저씨였다.

사람들은 모두 치료비를 톡톡히 부담해야 할
그 아저씨를 동정했다. 지랄스런 바람이지, 그 아저씨가
무슨 잘못이 있기에 생돈을 빼앗기냐고, 그렇지만 돈지갑
옆구리에 차고 부는 바람 못 봤으니, 그 재수 나쁜 아가씬들
그 재수 나쁜 아저씨한테 떼를 쓸 밖에 도리없지

않겠느냐고 사람들은 쑥덕댔다.
　하여튼 수남이가 알 수 있는
것은 그 아가씨도 그렇고
그 아저씨도 그렇고 오늘 재수
옴 붙었다는 것뿐이었다.
　수남이는 문득 자기도 재수
옴 붙을 것 같은 예감이 들었다.
그래서 화들짝 놀라 큰 간판을
다시 점검하고 힘껏 흔들어 보고,
대롱대롱 매달린 아크릴 간판은
아예 떼어서 안에다 갖다 두고,
떼어 세워 놓은 빈지문*은 좁은
옆 골목 변소 앞에 끼워 놓았다.
　바람부는 서울의 뒷골목은
흉흉하고 을씨년스러웠다. 먼지는
물론 온갖 잡동사니들이
다 날아들어 가게 앞에 쓰레기
무더기를 만들었다. 쓸어도 쓸어도

* **빈지문**: 한 짝씩 끼웠다 떼었다
하게 된 문.

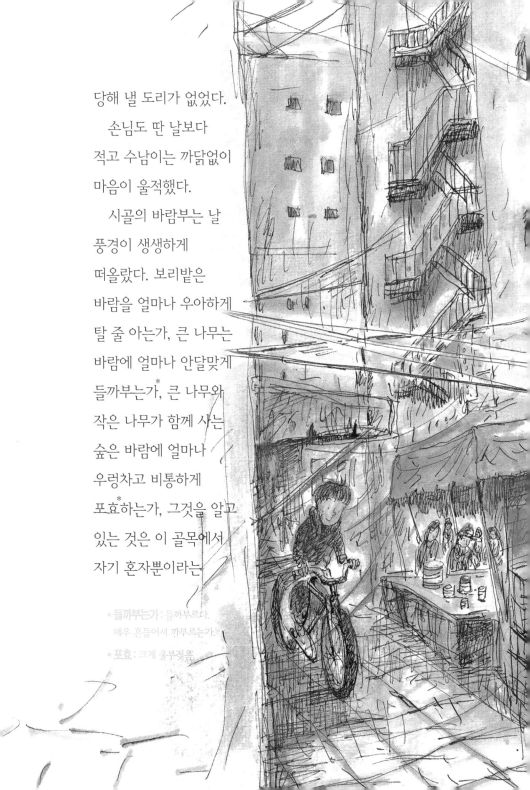

당해 낼 도리가 없었다.
　손님도 딴 날보다
적고 수남이는 까닭없이
마음이 울적했다.
　시골의 바람부는 날
풍경이 생생하게
떠올랐다. 보리밭은
바람을 얼마나 우아하게
탈 줄 아는가, 큰 나무는
바람에 얼마나 안달맞게
들까부는가,* 큰 나무와
작은 나무가 함께 사는
숲은 바람에 얼마나
우렁차고 비통하게
포효*하는가, 그것을 알고
있는 것은 이 골목에서
자기 혼자뿐이라는

 *들까부는가: 들까부르다.
　매우 흔들어서 까부르는가.
 *포효: 크게 울부짖음.

생각이 수남이를 고독하게 했다.

전선 가게 아저씨가 어두운 얼굴을 하고 돌아왔다. 가게 주인들이 우르르 전선 가게로 모였다. 아가씨의 안부보다도 그 아저씨 손해가 얼마인가, 모두 그것이 궁금한 모양이었다.

수남이네 주인 영감님도 가더니, 한참 만에 돌아오면서 하늘을 쳐다보며 욕지거리를 했다.

"육시랄 놈의 바람, 무슨 끝장을 보려고 온종일 이 지랄이야."

아마 전선 가게 아저씨 손해가 대단했던 모양이다. 그래서 동정삼아 그렇게 화를 내는 눈치다. 하긴 그런 일이 아니더라도 서울 사람들에게는 바람이 손톱만큼도 반가울 리가 없겠다. 바람의 의미를, 간판이 날아가는 횡액,* 한없이 날아오는 먼지, 쓰레기 그것밖에 모르니까.

봄바람이 게으른 나무들에게, 잠든 뿌리들에게, 생경한 꽃망울들에게 얼마나 신기한 마술을 베풀고 지나갔나를 모르니까. 봄바람이 한차례 지나고 거짓말같이 화창하고 아늑하게 갠 날, 들판이나 산등성이에 있어 본 적이 없을

---

*횡액: '횡래지액'의 준말. 뜻밖에 닥쳐오는 재액.

테니까.

　수남이는 다시 한 번 울고 싶도록 고독해진다.

　전화를 받은 주인 영감님이 좀 생기가 나더니 계산서를 작성해 주면서 ××상회에 20W 형광 램프 다섯 상자만 배달해 주고 오란다. 가까운 데 있는 소매상에서는 이렇게 전화 주문으로 배달까지를 부탁해 오는 수가 많다. 수남이는 자전거도 잘 타 배달이라면 문제도 없다.

　그래도 오늘은 바람이 유난해서 조심하느라 형광 램프 상자를 밧줄로 꼼꼼히 묶는다. 주인 영감님까지 묶는 걸 거들어 주면서,

　"인석아, 까불지 말고 조심해. 사고내 가지고 누구 못할 노릇 시키지 말고."

　오늘 장사가 좀 잘 안 돼서 그런지 말씨가 퉁명스럽긴 했지만, 나쁜 말은 아닌데도 수남이는 고깝게 듣는다.

　꼭 네깟 놈 다칠 게 걱정이 아니라 나 손해볼 게 겁난다는 소리로 들린다.

　수남이는 보통 때 같으면 "할아버지 다녀오겠습니다." 하고 신바람 나게, 그리고 붙임성 있게 외치고는 방긋 웃어 보이고 나서야 페달을 밟고 씽 달렸을 터인데, 오늘은 왠지

그래지지가 않는다. 아무 말 안 하고 자전거를 무거운 듯이
질질 끌다가 뭉기적 올라타면서 느릿느릿 페달을 젓는다.
주인 영감님이 뒤에서 악을 쓴다.

"인석아 조심해. 까불지 말고."

주인 영감님의 목소리가 회오리바람을 타고 이상하게
날카롭고 기분 나쁘게 들린다. 수남이는 '쳇' 하고 혀를
차고는 도망치듯 씽 자전거의 속력을 낸다.

형광 램프를 ××상회에 부리고 나서 수금하는데 또
한참이 걸린다. 장사꾼의 생리란 묘한 데가 있다.

수남이는 아직도 그 생리만은 이해가 안 될 뿐더러 문득
문득 혐오감까지 느끼고 있다.

금고에 돈을 수북이 넣어 놓고도 꼭 땡전 한푼 없는
얼굴을 하고 도무지 돈을 내주려 들지를 않는다. 조금 있다
오란다. 그 동안에 수금이 되면 주겠다는 것이다.

그러나 이쪽에선 그 수에 넘어가지 말고 악착같이
지키고 서서 받아 내야 하는 것이다. 그것이 수남이가
서울에 와서 점원 노릇 하면서 배운 상인 철학
제 1항이었다.

"아유, 오늘 더럽게 장사 안 된다."

××상회 주인은 니코틴이 새까맣게 달라붙은 이빨

안쪽을 드러내고 크게 하품을 한다. 돈을 빨리 안 주는 변명
같기도 하고, '인석아, 하루 종일 기다려 봐라, 누가 돈을
호락호락 내줄 줄 아니' 하는 공갈 같기도 하다.

그러나 수남이는 들은 척도 안 하고 장승처럼 버티고
서 있다. 저런 수에 넘어가 호락호락 물러가면 주인
영감님에게 야단맞는 것도 맞는 거려니와, 앞으로 열 번도
넘게 헛걸음을 해야 수금을 끝마칠 수 있기 때문이다.

그것도 목돈이 아니라 오백 원, 천 원씩 푼돈을 녹여서
말이다.

이럴 때 수남이는 이 세상에 장사꾼처럼 징그러운
족속이 또 있을까 싶은 생각이 나서 한숨이 절로 난다.
그러면서도 자기도 어느 틈에 장사꾼다운 징그러운 수를
쓰고 만다.

"오늘 물건 대금은 꼭 결제해 주셔야 돼요. 은행 막을
돈이란 말예요."

수남이는 은행 막는다는 말의 정확한 뜻을 잘 모른다.
그 번들번들하고 위엄있는 은행이 뒤로 어디 큰 구멍이라도
뚫려 있단 소린지, 뚫려 있기로서니 왜 장사꾼이 막아야
하는지 잘 모르는 채로, 급하게 돈을 받아 내려는
장사꾼들이 으레 심각한 얼굴을 하고 그런 소리를 하길래

수남이도 그래 보는 것이다.

"짜아식, 알았어. 기다려 봐. 돈 들어오는 대로 줄게."

주인이 퉁명스럽게 대답하곤 수남이의 머리에 힘껏 알밤을 먹인다. 수남이는 잽싸게 고개를 움츠려뜨렸는데도 눈에 눈물이 핑 돌 만큼 독한 알밤이다.

장사 더럽게 안 된다는 주인 말과는 달리 손님이 쉴 새 없이 들락거린다. 정말로 가게는 조그맣지만 길목이 아주 좋다. 수남이는 좁은 가게에서 이리 밀리고 저리 밀리면서 잘 버틴다. 버틸 뿐 아니라 속으로 돈이 얼마나 들어오나 암산까지 하고 있다.

소매상이라 큰돈은 안 들어와도 그 동안 들어온 돈이 어림잡아 만 원은 됨직하다. 수남이는 비실비실 안 나오는 웃음을 웃으며,

"어떻게 결제 좀 해 줍쇼."

하고 또 한 번 빌붙는다. 주인은 '짜아식' 하며 또 한 번 알밤을 먹이곤 오백 원짜리, 백 원짜리 합해서 만 원을 세 번이나 세어 보더니 아까운 듯이 내준다.

"짜아식 끈덕지기가 꼭 뙤놈* 같다니까, 됐어."

* **뙤놈** : 되놈. 중국 사람을 욕하여 이르는 말.

칭찬인지 욕인지 모를 소리를 하고 찍 웃는다. 수남이는
주인이 세 번씩이나 세어서 준 돈을 또 두 번이나 센다.
그리고 나서야 "고맙습니다. 안녕히 계십쇼." 하고는
저만큼 자전거를 세워 놓은 쪽으로 횡하니 달음질친다.

바람이 여전하다. 저만큼서 흙먼지가 땅을 한꺼풀 벗겨
홑이불처럼 둘둘 말아오는 것같이 엄청난 기세로 몰려온다.
골목 안의 모든 것이 '뎅그렁', '와장창', '우르릉' 하고
제각기의 음색으로 소리 높이 비명을 지른다.

드디어 흙먼지 홑이불이 집어삼킬 듯이 수남이의 조그만
몸뚱이를 덮친다. 수남이는 눈을 꼭 감고 숨을 죽인다.

바람이 지난 후 수남이는 눈을 뜨고 침을 탁 뱉는다.
입 속에 모래가 들어와 깔깔하고 목구멍이 알싸하니 아프다.
다시 자전거 쪽으로 걷는다. 조금 전만 해도 서 있던
자전거가 누워 있다. 그래도 날아가진 않았으니 다행이다.

자전거뿐 아니라 골목의 모든 것이 다 제자리에 그대로
있다. 수남이는 그것이 신기하다. 누워 있는 자전거를
일으켜 세우고 날렵하게 올라타 막 페달을 밟으려는데,
어디선지 고함 소리가 벽력같이 들린다.

"이놈아, 어딜 도망가는 거야, 게 섰거라. 꼼짝 말고."

수남이는 자기에게 지르는 고함은 아니겠지 싶어 그대로

페달을 밟는다.

"아니 이놈이, 어디로 도망을 가려고 이래."

뒷덜미를 사납게 붙들린다. 점잖고 깨끗한 신사다. 이런 신사가 자기에게 어떤 볼일이 있다는 것인지, 수남이는 도시 짐작을 할 수 없다. 게다가 신사는 몹시 화가 나 있다. 신사를 화나게 할 일을 자기가 저질렀다고는 더구나 생각할 수 없다.

"임마, 꼼짝 말고 있어."

신사의 말이 아니더라도 꼼짝할래야 할 수 있을 처지가 아니다. 꼼짝은커녕 숨도 제대로 쉴 수 없을 만큼 수남이의 뒷덜미는 신사의 손에 잔뜩 움켜쥐어져 있다.

"임마, 네놈의 자전거가 쓰러지면서 내 차를 들이받았단 말야. 이런 고급차를 말야. 이런 미련한 놈, 왜 눈은 째려, 째리긴. 그러니 내 차에 흠이 안 나고 배겼겠냐. 내 차는 임마, 여자들 손톱만 살짝 닿아도 생채기가 나는 고급차야 임마, 알간?"

그리고는 거울처럼 티 하나 없이 번들대는 차체를 면밀히 훑어보더니 "그러면 그렇지" 하고 환성을 질렀다. 아마 생채기를 찾아 낸 모양이다.

"일은 컸다. 임마, 칠만 살짝 긁혔어도 또 모르겠는데 여봐라, 여기가 이렇게 우그러지기까지 했으니 일은 컸다, 컸어."

신사가 덩칫값도 못하게 팔짝팔짝 뛰면서, 잘 봐 두라는 듯이 수남이의 얼굴을 차에다 바싹 밀어붙였다.

수남이는 차체에 비친 울상이 된 자기 얼굴을 볼 수 있을 뿐이었다. 꼭 오늘 재수 옴 붙은 일이 날 것 같더라만 이런 끔찍한 일이 일어나고 말았구나. 울음이 왈칵 솟구친다. 그러자 제 얼굴도, 차체의 흠도 아무것도 안 보이고 온 세상이 부옇게 흐려 보일 뿐이다.

"울긴, 임마. 너 한 달에 얼마나 버냐?"

신사의 목청이 다분히 누그러지며 목소리에 연민이 담긴

것을 수남이는 재빨리 알아차린다. 그러자 흑흑 소리까지 내어 운다.

"울긴 짜아식, 할 수 없다. 너나 나나 오늘 재수 옴 붙은 걸로 치고 반반씩 손해 보자. 오천 원만 내."

수남이는 너무 놀라 울음까지 끄르륵 삼키고 신사를 쳐다본다. 그 사이 사람들이 큰 구경이나 난 것처럼 모여들어 신사와 수남이를 에워싼다.

누군가가 뒤에서 "빌어, 이놈아. 그저 잘못했다고 무조건 빌어." 하고 속삭인다. 수남이는 여러 사람들이 자기를 동정하고 있다고 느끼자 적이 용기가 난다.

"아저씨, 잘못했습니다. 한 번만 용서해 주십시오. 네, 아저씨."

제법 또렷한 소리로 용서를 빈다.

"용서라니, 이만큼 했으면 됐지 어떻게 더 용서를 해."

"아저씨, 그러시지 말고 한 번만 봐 주셔요. 네, 아저씨."

수남이는 주머니에 들은 만 원 생각을 하면 얼굴이 화끈대고 공연히 무섭기까지 하다. 그렇지만 주인 영감님을 위해 그 돈만은 죽기를 무릅쓰고 지킬 각오를 단단히 한다.

"아니 요석이 이제 보니 이런 큰일 저지르고 그냥 내뺄 심사 아냐? 요런 악질 녀석 같으니라고."

신사의 표정은 은은히 감돌던 연민이 싹 가시고 점잖게
무표정해진다.

　그리고는 옆에 섰던 운전사인 듯한 남자에게,

　"안 되겠네. 요런 악질 깡패 녀석하고 시비해 봤댔자
공연히 시간만 낭비니, 자네 자물쇠 하나 마련해다 주게.
이 녀석 자전걸 잡아 놓기로 하세. 언제든지 오천 원
가져와서 찾아가라고."

　그리고는 주머니에서 오백 원짜리를 한 장 꺼내서
운전사에게 주는 것이었다. 수남이로서는 전혀 예기치
못했던 사태였다.

　주머니의 만 원에 대해서만 생각했었지 자전거에 대해선
전혀 생각이 미치지 못했었다.

　운전사는 금방 커다란 자물쇠를 하나 사 가지고 왔다.
신사는 다시 네놈은 쳐다보기도 싫다는 듯이 수남이를 전혀
상대 안 하고, 묵묵히 자전거 바퀴에다 자물쇠를 채우고,
앞에 빌딩을 가리키면서,

　"나 저기 306호 실에 있으니까 돈 오천 원 갖고 와.
그러면 열쇠 내 줄 테니."

하고는 수남이를 힐끗 흘겨보고 유유히 빌딩 속으로
사라져 갔다.

수남이는 울지도 못하고 빌지도 못하고 그냥 막연히 서 있었다. 수남이와 신사의 시비를 흥미진진하게 구경하던 사람들도 헤어지지 않고 그냥 서 있었다. 아마 수남이가 앙앙 울거나, 펄펄 뛰면서 욕을 하거나 그런 일이 일어나 주기를 기다리는 눈치였다.

수남이는 바보가 돼 버린 아이처럼 조용히 멍청히 서 있었다. 누군가가 나직이 속삭였다.

"토껴라 토껴. 그까짓 것 갖고 토껴라."

그것은 악마의 속삭임처럼 은밀하고 감미로웠다. 수남이의 가슴은 크게 뛰었다. 이번에는 좀더 점잖고 어른스러운 소리가 나섰다.

"그래라, 그래. 그까짓 거 들고 도망가렴. 뒷일은 우리가 감당할게."

그러자 모든 구경꾼이 수남이의 편이 되어 와글와글 외쳐 댔다.

"도망가라, 어서어서 자전거를 번쩍 들고 도망가라, 도망가라."

수남이는 자기 편이 되어 준 이 많은 사람들을 도저히 배반할 수 없었다. 이상한 용기가 솟았다. 수남이는 자전거를 마치 검부러기처럼 가볍게 옆구리에 끼고

질풍같이 달렸다.

정말이지 조금도 안 무거웠다. 타고 달릴 때보다 더
신나게 달렸다. 달리면서 마치 오래 참았던 오줌을
시원스레 내깔기는 듯한 쾌감까지 느꼈다.

주인 영감님은 자전거를 옆에 끼고 질풍처럼 달려온
놈을 눈을 휘둥그렇게 뜨고 바라볼 뿐이었다. 오늘 바람이
세더니만 필시 이 조그만 놈이 바람에 날아왔나, 설마 그럴
리야 없을 텐데 내 눈이 어떻게 된 것인가 그런 눈치였다.

수남이는 너무 숨이 차서 이런 주인 영감님의 궁금증을
시원히 풀어 주지 못하고 한동안 헉헉대기만 한다.

"임마, 말을 해. 무슨 일이야? 네놈 꼴이 영락없이 도둑놈
꼴이다, 임마."

도둑놈 꼴이라는 소리가 수남이의 가슴에 가시처럼
걸린다. 수남이는 겨우 숨을 가라앉히고 자초지종을 주인
영감님께 고해 바친다. 다 듣고 난 주인 영감님은 무엇이
그리 좋은지 무릎을 치면서 통쾌해 한다.

"잘 했다, 잘 했어. 맨날 촌놈인 줄만 알았더니 제법인데,
제법이야."

그리고는 가게에서 쓰는 드라이버니 펜치를 가지고
자전거에 채운 자물쇠를 분해하기 시작한다. 엎드려서

그 짓을 하고 있는 주인 영감님이 수남이의 눈에 흡사
도둑놈 두목 같아 보여 속으로 정이 떨어진다. 주인 영감님
얼굴이 누런 똥빛인 것조차 지금 깨달은 것 같아 속이
메스껍다.

　마침내 자물쇠를 깨뜨렸나 보다. 영감님 얼굴에
회심의 미소가 떠오르더니 자유롭게 된 자전거 바퀴를
시험이라도 하려는 듯이 자전거로 골목을 한 바퀴
빙그르르 돌아 들어와서는,

"네놈 오늘 운 텄다."

그리고는 수남이의 머리를 쓰다듬고 볼과 턱을 두둑한 손으로 귀여운 듯이 감싼다. 영감님이 기분이 좋을 때면 수남이에 대한 애정의 표시로 으레 그렇게 했었고, 수남이도 그걸 좋아했었다.

그런데 오늘은 싫다. 영감님의 손이 싫다. 그것이 운 트기는커녕 재수 옴 붙었다는 생각이 여전하고, 수남이는 그 날 온종일 우울했다. 그러나 자기가 왜 그렇게 우울한지 그걸 차분히 생각할 새도 없는 바쁜 하루였다.

가게 문을 닫고 주인댁에서 날라 온 저녁밥을 먹고 나면 비로소 수남이 혼자만의 시간이다. 꿈 같은 시간이었다. 책을 펴 놓고 영어 단어를 찾고, 수학 문제를 풀어 보고, 턱을 괴고 소년답게 감미로운 공상에 잠길 수 있는 그런 시간이었다.

그러나 오늘 수남이는 그게 되지를 않았다. 책을 집어던졌다.

낮에 내가 한 짓은 옳은 짓이었을까? 옳을 것도 없지만 나쁠 것은 또 뭔가. 자가용까지 있는 주제에 나 같은 아이에게 오천 원을 우려 내려고 그렇게 간악하게 굴던 신사를 그 정도 곯려 준 것이 뭐가 나쁜가? 그런데도 왜

무섭고 떨렸던가. 그 때의 내 꼴이 어땠으면, 주인
영감님까지 "네놈 꼴이 꼭 도둑놈 꼴이다"고 하였을까.

그럼 내가 한 짓은 도둑질이었단 말인가. 그럼 나는
도둑질을 하면서 그렇게 기쁨을 느꼈더란 말인가.

수남이는 몸을 부르르 떨면서 낮에 자전거를 갖고
달리면서 맛본 공포와 함께 그 까닭 모를 쾌감을 회상한다.
마치 참았던 오줌을 내깔길 때처럼 무거운 억압이 갑자기
풀리면서 전신이 날아갈 듯이 가벼워지는 그 상쾌한 해방감
— 한 번 맛보면 도저히 잊혀질 것 같지 않은 그 짙은 쾌감,
아아 도둑질하면서도 나는 죄책감보다는 쾌감을 더 짙게
느꼈던 것이다.

혹시 내 피 속에 도둑놈의 피가 흐르고 있기 때문이
아닐까. 순간 수남이는 방바닥에서 송곳이라도 치솟은 듯이
후닥닥 일어서서 안절부절을 못하고 좁은 방안을 헤맸다.

수남이의 눈앞에는 수갑을 차고, 순경들에게 끌려와
도둑질 흉내를 그대로 내보이던 형의 얼굴이 환히
떠오른다. 그리고 서울 가서 무슨 짓을 하든지 도둑질만은
하지 말라고 신신당부하던 아버지의 얼굴도 떠오른다.

수남이의 형 수길이는, 온 집안 식구가 기대를 걸고
고등 학교까지 마쳐 준 보람도 없이 집에서 빈들대다가,

어느 날 갑자기 서울 가서 돈 벌고 성공해서 돌아오겠다는
말 한 마디를 남기고 훌쩍 집을 나갔다.

　편지 한 장, 하다못해 인편에 안부 한 마디 없는 2년이
지났다. 그 동안 아버지는 푹 노쇠하고, 어머니는 뼈만 남게
야위어서 수남이랑 동생들이랑을 들볶았다.

　들볶는 푸념 속에서 무정한 장남에 대한 원망과 함께
그래도 행여나 하는 기대가 곁들여 있는 것을 수남이는
느낄 수 있었다.

　수남이도 뭔가 형에 대한 기대를 안 할 수가 없었다.
동생들이 발바닥이 다 닳아 없어져 웃더껑이만 남은
운동화를 신고 다니는 걸 봐도 "조금만 참아, 큰형이
돈 많이 벌어 가지고 오면 운동화랑 잠바랑 다 사 줄게."
하는 말을 할 지경이었다.

　형이 돈을 많이 벌어 오면 — 이런 기대에 온 집안
식구가 하루하루를 매달려 살았다. 어느 날 밤, 형은
돌아왔다. 옷과 운동화와 과자와 고기를 한 짐이나 되게
사 가지고. 형이 정말 돈을 벌어서 별의별 것을 다
사 가지고 온 것이었다. 아버지는 밤중이지만 동네 사람을
모아 큰 잔치를 벌이지 못해 안달을 했다.

　형이 험악한 얼굴을 하고 안 된다고 했다.

잔치는커녕 동생들이 좋아서 떠드는 것도 못 하게
윽박질렀다.

수남이는 지금도 그 날 밤 일이 생생하다. 그 날 밤 형의
누런 똥빛 얼굴은 정말로 못 잊겠다. 꼭 악몽 같다.

다음 날 형은 읍내에서 온 순경한테 수갑이 채워져
붙들려 갔다. 형은 악을 써서 변명을 하며 갔다.

"2년 만에 빈손으로 집에 들어갈 수는 없었단 말야.
도저히 그럴 수는 없었단 말야."

그래서 읍내 양품점을 털어 돈과 물건을 훔친 것이다.
다음에 수남이가 형을 본 것은 읍내에 현장 검증인가를
나왔을 때다. 도둑질한 것을 다시 한 번 되풀이해 보여 주는
것인데, 딴 구경꾼들 틈에 섞여 수남이는 몸서리를 치면서
그것을 봤다. 그 도둑놈과 형제간이란 게 두고두고
생각해도 몸서리가 쳤다.

아버지는 홧병으로 몸져 눕고 집안 형편은 말이
아니었다. 수남이는 드디어 어느 날 형이 그랬던 것처럼
서울 가서 돈 벌어 오겠다고 집을 나섰다. 아버지는 말리지
않았다. 문지방을 짚고 일어나 앉아서 띄엄띄엄 수남이를
타일렀다.

"무슨 짓을 하든지 그저 도둑질을 하지 말아라, 알았쟈."

그런데 도둑질을 하고 만 것이다. 하지만 수남이는
스스로 그것은 결코 도둑질이 아니었다고 변명을 한다.

그런데 왜 그 때, 그렇게 떨리고 무서우면서도 짜릿하니
기분이 좋았던 것인가? 문제는 그 때의 그 쾌감이었다.
자기 내부에 도사린 부도덕성이었다. 오늘 한 짓이
도둑질이 아닐지 모르지만 앞으로 도둑질을 할지도
모르겠다는 생각이 들었다. 형의 일이 자기와 정녕 무관한
일이 아니란 생각이 들었다.

소년은 아버지가 그리웠다. 도덕적으로 자기를 견제해
줄 어른이 그리웠다. 주인 영감님은 자기가 한 짓을
나무라기는커녕 손해 안 난 것만 좋아서 "오늘 운 텄다."고
좋아하지 않았던가.

수남이는 짐을 꾸렸다. 아아, 내일도 바람이 불었으면.
바람이 물결치는 보리밭을 보았으면.

마침내 결심을 굳힌 수남이의 얼굴은 누런 똥빛이
말끔히 가시고, 소년다운 청순함으로 빛났다.

달걀은
달걀로 갚으렴

새 학기가 되었습니다.

올해도 또 5, 6학년 담임이 된 문 선생님이 아이들한테
새 책과 암탉 두 마리씩을 나누어 주었습니다. 닭은 6학년
아이들한테만 나누어 주었습니다. 한 교실에는 5학년이
열일곱 명, 6학년이 열다섯 명에 닭 서른 마리가 합세를
하니 그 수선은 걷잡을 수가 없었습니다.

이제라도 곧 알을 낳을 수 있을 것같이 다 자란
흰 레그혼*이 푸드득푸드득 제대로 날지도 못하면서

* 레그혼 : 이탈리아 산 닭의 품종. 빨리 자라고 산란 능력이 뛰어남.

날갯짓만 요란하게 하고 새 책에 똥을 깔기지 않나, 창가의
화분에서 고개를 내미는 새싹을 쪼아 먹지를 않나,
삽시간에 교실을 수라장으로 만들어도 아이들은 마냥
즐겁기만 합니다. 그 닭은 아이들이 푼푼이 모은 돈으로
산 닭이고, 곧 알을 낳기 시작할 테고, 그 알을 팔아
가을에 도시로 수학 여행 가는 비용을 마련할 것이기
때문입니다.

　그 일은 문 선생님이 생각해 내서 벌써 5년째나 계속하고
있는 일입니다. 그러니까 문 선생님이 우리 나라에서
제일가는 이 산골 초등 학교로 부임해 온 지도 5년이 되는
셈입니다. 이 산골 초등 학교는 작은 것으로 우리 나라에서
둘째가라면 서러워할 제일 작은 학교입니다.

　교장 선생님이 한 분, 선생님이 세 분, 학생이 예순여섯
명입니다. 그러나 학생수에 비해 넓은 운동장과 훌륭한
실습원과 아름다운 자연에 둘러싸여 있는 것으로는 아마
우리 나라에서 제일가는 학교일 것입니다.

　문 선생님은 부임하자마자 그 학교가 우리 나라에서
제일가는 학교라는 것을 알았습니다. 아이들도 우리
나라에서 제일가는 학교에 다니는 아이들다운 긍지를
갖도록 해야 할 것이라고 생각했습니다.

그래서 생각해 낸 것이 아이들이 스스로 여비를 벌어서
여행을 가게 하는 일이었습니다. 결코 여비를 못 대 줄 만큼
집이 가난한 아이들만 있어서가 아닙니다. 물 좋고
아름다운 산에 삼태기처럼 안긴 마을이라, 농토가 넓진
않아도 기름지고 가뭄을 타는 일이 없어 집집마다 먹고
살 만은 했습니다.

돈은 좀 귀했습니다만, 아이들이 꼭 도시 구경을
하겠다면야 거둬 놓은 낟알이라도 팔아서 여비를 마련해 줄
만한 성의쯤은 집집마다 다 가지고 있었습니다.

문 선생님은 공부 잘하란 소리 대신에 닭 잘 기르란
소리만 한마디 해서 아이들을 일찍이 돌려보냈습니다.
문 선생님은 자기야말로 우리 나라에서 제일가는
선생님이라는 자부심이 대단했습니다만, 닭하고
아이들하고 같이 가르칠 자신만은 없었습니다.

6학년의 다섯 명밖에 안 되는 여자애 중에서도 제일 키가
작은 귀염둥이인 봄뫼는 허리에 책보를 동여매고
닭은 양팔로 안았습니다. 부드러운 깃털 속에 손을 넣으니
따뜻한 체온과 심장 뛰는 것이 느껴집니다. 닭도 앞으로
닥칠 새로운 생활이 불안한가 봅니다.

봄뫼는 식구 중 누구라도 봄뫼의 암탉을 구박하면 가만

있지 않겠다고 지레 벼르면서도 한편으로는 불안합니다. 봄뫼네는 일손에 비해 농사가 많고, 봄뫼 어머니가 유난히 깨끗한 것을 좋아해 닭을 한 마리도 치질 않습니다. 닭은 온종일 똥을 쌀 뿐더러, 쉬지 않고 주둥이로 뭐든지 버릇는* 고약한 버릇이 있어 채마밭*이 남아 나지 않는다는 것이 어머니가 닭을 싫어하는 이유였습니다.

그러나 작은 닭장이 하나 있긴 있습니다. 그것은 봄뫼 오빠인 한뫼가 만든 닭장입니다. 한뫼도 우리 나라에서 제일 작고 제일 좋은 학교에서 제일가는 선생님한테 배웠기 때문에 6학년 때 두 마리의 닭을 기르지 않으면 안 되었습니다. 한뫼는 닭을 싫어하는 식구들 눈치가 보여 손수 닭장을 만들어서 닭을 가두어 길렀었습니다.

한뫼는 지금 읍내에 있는 중학교 2학년입니다. 읍내는 이 마을에서 20리나 되지만, 한뫼는 건강하기 때문에 아침 저녁 잘 다닙니다.

봄뫼는 오빠의 닭장에서 닭을 기를 생각을 하니 여간 다행스럽지가 않습니다. 2년 전 오빠가 닭을 기를 때 알밤

---

*버릇는: 파서 헤집어 놓는.

*채마밭: 집에서 몇 가지 가꾸어 먹을 정도의 채소를 심은 밭.

맞던 생각이 나 저절로 키들키들 웃음이 나기도 합니다.
봄뫼는 오빠가 꼬박꼬박 모으는 달걀을 몰래 훔쳐서 삶아
먹고 들킬 적마다 알밤을 얻어맞고 굴뚝 모퉁이에서 울고
짜던 게 어제 일 같은데, 벌써 6학년이 되어 두 마리의
암탉 주인이 된 것입니다.

　그 때는 왜 그렇게 삶은 달걀이 먹고 싶었는지 암탉이
알 낳기 전 꼬꼬댁 꼬꼬댁 보채는 소리를 제일 먼저
알아듣고 암탉 곁에 지키고 있다가, 냉큼 갓 낳은 따뜻한
달걀을 손에 넣기까지는 별로 어렵지 않았습니다. 그러나
그 달걀을 삶는 것이 문제입니다. 밥솥에 넣어 볼까, 국솥에
들여뜨려* 볼까, 밥 뜸들이려고
괄한* 불을 긁어 낸
아궁이의 재 속에
파묻을까.
어느 것이나 다
쉬운 듯하면서도

* **들여뜨려** : 안으로
넣어 떨어뜨려.
* **괄한** : 불기운이
매우 센.

몰래 하려니 어려워, 이 눈치 저 눈치 보며 쩔쩔매고 있는 사이에 한뫼의 다부진 알밤이 뒤통수에 두어 번 와 박히면 봄뫼는 눈물을 글썽이며 품안에 감춘 달걀을 내어놓지 않으면 안 되었습니다.

그렇다고 한 번도 삶은 달걀을 못 먹어 본 것은 아닙니다. 여름 밤 모닥불 속에 파묻었다가 알맞게 익었을 때쯤 살짝 꺼내어 시냇물에 식혀서 까먹은 달걀의 맛은, 너무 급히 먹느라 목이 메어 오랫동안 딸꾹질이 났다는 것밖에는 잘 생각나지 않습니다.

봄뫼는 닭장을 깨끗이 치우고 두 마리의 암탉을 넣어 주었습니다. 그리고 한뫼가 학교에서 돌아오기를 기다렸습니다. 닭을 기르는 법도 배우고 자랑도 하고 싶어서입니다. 달걀 훔쳐먹으면 가만 안 둘 거라고 제법 엄포를 놓을 생각도 합니다.

어둑어둑해서야 한뫼는 학교에서 돌아왔습니다. 중학교 2학년이 되더니 한뫼는 한층 의젓해졌습니다. 봄뫼는 이런 오빠가 속으로 은근히 자랑스럽습니다.

"오빠, 나 오늘 암탉 타 왔다."

봄뫼의 어리광 섞인 보고에 한뫼는 대답이 없습니다. 닭장 쪽을 거들떠도 안 봅니다. 아마 학교에서 기분 나쁜 일이 있었나 보다고 생각하면서도 봄뫼는 섭섭합니다.

"오빠 내 달걀 훔쳐먹으면 가만 안 둘 거다, 알았지?"

"닭째 훔쳐먹으면?"

뜻밖의 대답에 봄뫼는 깜짝 놀랍니다. 더욱 놀라운 것은 그 말을 하는 한뫼의 태도입니다. 조금도 농담을 하는 태도가 아닙니다. 반장 노릇할 때처럼 늠름하면서도 어딘지 쓸쓸해 보입니다. 참 이상합니다. 한뫼는 그 말만 하고 홱 돌아서 버렸기 때문에 봄뫼는 이상스럽게 여긴 것에 대해 따질 겨를도 없었습니다.

그 날 밤, 봄뫼는 어슴푸레 잠이 들다 말고 푸드덕대는 닭의 날갯짓 소리와 다급한 비명 소리를 듣고 봉당*으로 뛰어나갔습니다.

한뫼가 양손에 하나씩 암탉의 날갯죽지를 잡고 우뚝 서 있었습니다. 저녁때 한뫼가 한 말은 정말이었던가 봅니다. 세상에 그렇게 치사한 오빠도 있을까요? 봄뫼는 노여움으로 목이 메고 손발이 떨립니다.

봄뫼는 크게 악을 써 집안 식구를 모두 깨워 동생 닭을

---

* **봉당** : 한옥에서, 안방과 건너방 사이의 마루를 놓을 자리에 흙바닥을 그대로 둔 곳.

훔쳐먹으려는 치사한 오빠의 모습을 보여 줘야겠다고
생각합니다. 그러나 봄뫼는 악을 쓰지 못합니다.

닭 도둑질하려는 사람치곤 한뫼의 태도가 너무도 의젓하고
또 어딘지 쓸쓸해 보여서입니다.

"오빠, 그러지 마. 제발 그러지 마."

봄뫼는 겨우 그 소리를 모깃소리처럼 가냘프게 냅니다.

"그래, 안 그러마."

한뫼는 어른처럼 굵은 목소리로 그렇게 말하더니,
천천히 닭을 닭장 속에 넣어 주고 뜰 아랫방으로 들어가
버렸습니다.

그러나 다음 날 밤도 그 다음 날 밤도 그런 일은
계속됐습니다. 차라리 달걀을 훔쳐먹으려고 했으면 얼마나
좋을까 하는 생각까지 봄뫼는 하게 되었습니다.

"오빠, 그러지 마. 제발 그러지 마. 알을 낳으면 제일
먼저 오빠 삶아 줄게. 일 주일에 한 번씩은 꼭꼭 삶아 줄게."

봄뫼는 드디어 그렇게 애걸까지 했습니다.

"누가 그까짓 삶은 달걀 먹고 싶댔어?"

한뫼는 그 전에 봄뫼가 달걀을 훔쳤을 때 하던 것처럼
봄뫼의 골통에 알밤을 한 대 먹이고 가 버렸습니다. 한뫼는
기어코 닭을 잡아먹어야만 직성이 풀릴 모양입니다. 봄뫼는
이런 일을 어른들한테 일러바쳐 한뫼를 혼나게 할까도
생각했습니다만, 막상 그러려면 망설여졌습니다. 보나마나

어른들은 한뫼를 나쁜 사람 취급할 텐데, 봄뫼가 본 한뫼의
태도는 조금도 나쁜 짓을 하려는 태도가 아니었기
때문입니다. 닭을 훔치려는 한뫼의 태도는 번번이 반장
노릇할 때처럼 의젓하고, 또 어딘지 쓸쓸해 보였던
것입니다.

나쁜 짓을 하면서도 나쁜 사람 같아 보이지 않는다는 게
봄뫼의 마음을 혼란스럽게 했습니다. 그까짓 거 훔쳐먹도록
내버려둘까 하는 생각까지 들었습니다. 그러자니 가을에
도시로 수학 여행 가는 일을 단념하지 않으면 안 됩니다.
봄뫼는 그것을 단념하는 괴로움을 도저히 참을 수 있을 것
같지가 않습니다.

봄뫼는 밤마다 설친 단잠과 마음의 괴로움 때문에 많이
수척해지고 우울해졌습니다. 어른들은 한창 농사가 바쁜
철이어서 봄뫼가 달라진 것을 알아볼 만한 마음의 빈자리가
없습니다.

봄뫼는 문득 문 선생님하고 의논하고픈 생각이
났습니다. 재작년 한뫼가 중학교를 갈까 말까 혼자서
생각하고 망설이느라 매일매일 신경질만 부리다가,
어느 날 문 선생님과 의논하고 와서는 단박 명랑해져서
중학교에 가기로 결정했고, 그것을 아무도 말릴 수

없었던 것이 생각났기 때문입니다.

　"선생님, 오빠가 암탉을 잡아먹으려고 해요.
어떡하면 좋죠?"

　"한뫼가?"

　"네."

　"임마, 그건 오빠가 널 놀려먹으려고 그러는 거야.
바보 같으니라고……."

　"아녜요. 매일 밤 그러는걸요."

　봄뫼는 자기도 모르게 울먹이며 그 동안에 있었던
한뫼의 수상한 짓을 낱낱이 문 선생님한테 고해
바쳤습니다.

　문 선생님은 봄뫼의 이야기를 귀담아들으며, 읍내에서
닭을 사 오던 날 생각이 났습니다.

　그 날 문 선생님은 마치 닭장수처럼,
닭을 서른 마리씩이나 처넣은 커다란 닭장을

자전거 꽁무니에 싣고 가파른 고개를 오르다가
한뫼를 만났었습니다.
"너 잘 만났다. 자전거 꽁무니 좀 밀어라."
여느 때 같으면 밀라고 할 때까지 있을

한뫼도 아닙니다. 그러나 무슨 급한 볼일을 보러 가고 있던
모양으로 고개만 끄덕하고 길가로 비켜서려는 한뫼에게
문 선생님은 그렇게 부탁한 것입니다.

한뫼는 마지못해 자전거를 고개 위까지 밀어 주고 나서
이마의 비지땀을 씻는 문 선생님을 딱하다는 듯이 바라보며
어두운 얼굴로 말했습니다.

"이제 닭장수는 그만 하시잖고……."

"임마, 1년에 한 번씩이야. 할 만해."

문 선생님은 한뫼의 말을 선생님의 수고를 마음 아파하
는 뜻으로 받아들였기 때문에 가볍게 대꾸하고
말았습니다. 지금 생각하니 그 때의 한뫼의 어두운 마음과
무관한 것이 아닐 것 같았습니다.

그 날 수업이 파한 후 문 선생님은 읍으로 가는 길에
있는 여러 고개 중 제일 높은 고개 위에서 한뫼를
기다렸습니다.

한뫼는 어둑어둑해질 무렵에야 고개 아래에 그 모습을
나타냈습니다.

"좀 쉬어 가려무나."

문 선생님은 한뫼가 고개를 다 오를 때까지 기다렸다가
이렇게 말을 시켰습니다. 한뫼가 말없이 문 선생님 곁에

앉았습니다.

"이번 공일에 선생님하고 읍내로 같이 통닭 먹으러 갈래?"

"봄뫼가 선생님께 일러바쳤군요?"

"그래, 선생님은 다 안단다. 그렇지만 봄뫼를 나무라진
말아라."

"네, 염려하지 마세요."

"암탉에 대해서도 염려 안 할 수 있었으면 싶은데."

"선생님, 전 그 암탉을 죽여 버리고 싶어요. 먹어 버리고
싶은 게 아니라 죽여 버리고 싶어요."

"왜?"

"봄뫼의 암탉뿐 아니라 선생님이 6학년 아이들한테
나누어 준 서른 마리의 암탉을 모조리 죽여 버리고
싶어요."

"한뫼야, 왜 그러고 싶은가 말해 보렴. 아무리
짐승이지만 살아 있는 목숨을 죽이고 싶은 것은 독한
마음이고, 독한 마음은 오래 품고 있을수록 품은 사람의
심정만 해칠 뿐이란다."

"봄뫼가 도시로 여행 가는 것을 못 하게 하고 싶어서요.
꼭 도시 구경을 하고 싶다면 낱알을 팔아 보낼 수도 있어요.
닭을 길러 달걀을 팔아 노자삼는 일만은 막아야 해요."

"너도 그렇게 해서 여행을 갔었고, 너는 그 때 그 일에 열성이었는데……."

"그랬어요. 도시에 가 보기 전까지는요. 그러나 가 보고 나서 마음이 변했어요."

"무엇이 네 마음을 변하게 했는지 말해 줄 수 없겠니?"

"민박한 집에서 본 텔레비전이 문제였어요."

"텔레비전? 난 또 뭐라고."

문 선생님은 소리 내어 웃었습니다.

"웃지 마세요, 선생님."

"텔레비전에서 뭘 봤는지 모르겠다만 그 때만 해도 우리 마을에 텔레비전은 한 대도 없었으니, 그 구경이 신기하기도 했겠지. 그러나 그 후 2년 동안에 우리 마을에도 텔레비전이 세 대나 생겼어. 이제 그 구경을 신기해 할 아이는 아무도 없어."

"선생님, 선생님은 정작 중요한 걸 안 물어 보시는군요."

"아 참, 넌 거기서 뭘 보았니?"

"'깜짝 놀랄 재주부리기' 쇼라는 걸 보았어요. 열 자리도 넘는 수를 열 번도 넘게 더하는 계산을 눈 깜짝할 사이에 해치우는 여학생도 보고, 아무런 연장도 없이 입 하나로 이 세상의 온갖 새 소리, 짐승 소리, 기계 소리, 총 소리, 대포

소리를 내는 아저씨도 보았어요. 그리고……."

한뫼는 어두운 얼굴로 말끝을 흐렸습니다.

"그리고?"

문 선생님은 더욱 침을 삼키며 한뫼의 다음 말을
재촉했습니다.

"그리고 한자리에서 달걀을 백서른 개나 먹는 아저씨도
보았어요. 그 아저씨는 어찌나 달걀을 빠르게 먹던지
옆에서 깨뜨려 주는 사람이 미처 못 당할 정도였어요.
그렇지만 그 뱃속 큰 아저씨도 백 개를 넘게 먹고
나서부터는 삼키기가 괴로운지 계란 흰자위는 입아귀로
줄줄 흘리면서 목을 괴롭게 빼고는 억지로 먹더군요.
민박한 집 아이들은 손뼉을 치며 재미나 하는데, 저는

이상하게 울고 싶었어요."

"그 때 왜 울고 싶었는지 지금 생각나니?"

"생각나고말고요. 그 동안 도시의 인상은 희미해졌지만 그 일만은 어제 일처럼 생생한걸요. 그 때 저는 제 여행비가 된 제 암탉이 낳은 소중한 달걀에 대해서 생각했어요. 저는 제 달걀을 고스란히 모으기 위해 얼마나 많이 제 동생들을 때리고 쥐어박았는지 몰라요. 특히 봄쇠는 어찌나 날쌔게 달걀을 훔쳐가는지, 아마 제일 많이 쥐어박혔을 거예요. 귀여운 누이 동생이 굴뚝 모퉁이에서 서럽게 훌쩍이건 말건 아랑곳하지 않을 만큼 그 때 저에게 있어서 달걀은 무엇보다도 소중한 거였어요. 그런 달걀이 도시 사람한테 마구 천대받고 웃음거리가 되고 있는 걸 보니까, 꼭 제가 업신여김을 당하는 것처럼 분한 생각이 들었어요. 달걀한테 들인 정성과 그 동안의 세월까지 아울러 무시당했다 싶으면서 이튿날부터는 도시 구경이 도무지 재미가 없었어요. 여행에서 돌아와서 지금까지 쭉 그 때 저를 업신여기던 도시에 대해 어떻게든 앙갚음하지 않으면 안 될 것 같은 생각에 시달리고 있어요. 달걀을 천대하는 것을 구경하며 손뼉 치고 깔깔대던 도시의 아이, 어른, 모든 사람에 대한 앙갚음을 위해서 저는 부모님이 힘겨워하시는 것을 못 본 척 중학교에 갔는지도 몰라요."

"그래? 선생님은 처음 듣는 소리구나. 어디 네 앙갚음의
꿈을 얘기해 보렴."

"무지무지한 부자가 되든지, 무지무지한 권세를 잡든지,
무지무지하게 유명해지든지 해서 저는 도시 사람들을
업신여길 수 있고, 도시 사람들이 저를 우러르고 제 말
한마디에 벌벌 떨게 하고 싶어요."

"그거 참 좋은 생각이로구나. 하지만 그러려면 너무 오랜
세월이 걸리지 않겠니. 그리고 달걀 몇 꾸러미에 대한
앙갚음으로는 너무 지나치지 않을까 몰라. 너무 인색하게
갚아 주는 것도 안 좋지만, 너무 지나치게 갚을 건 또 뭐
있니? 달걀은 달걀로 갚으렴."

"달걀은 달걀로요? 어떻게요?"

"글쎄다. 우리 그걸 생각해 보자꾸나."

문 선생님이 한뫼의 손을 잡았습니다. 한뫼의 손도
한뫼의 얼굴 못지않게 잘생기고 든든합니다. 한뫼의 등은
떡판처럼 널찍하고 믿음직스럽습니다. 문 선생님은 한뫼가
대견해 가슴이 뿌듯합니다.

어둠이 썰물처럼 빠르게 계곡을 채우고 두 사람의 발
밑에서 넘실댑니다. 봄 밤의 어둠은 부드러울 뿐더러

향기롭습니다. 산에서 피는 온갖 꽃들과 잎들과 새순들의

향기가 녹아 있으니까요.

"한뫼야, 봄뫼가 암탉 기르는 일을 훼방 놓지 말고 도와
주렴."

"선생님은 기어코 봄뫼까지 도시의 업신여김을 당하게
하실 셈이군요."

"아니지. 선생님은 다만 달걀을 달걀로 갚는 일을 도와
주려는 것뿐이다."

문 선생님이 소년처럼 뽐내면서 말했습니다. 좋은
생각이 떠올랐나 봅니다.

"선생님 생각을 말씀해 보세요."

"암탉을 잘 먹이고 잘 돌봐서 알을 많이 낳게 하는 거야.
아직 어리지만 다 자랐어. 곧 알을 낳기 시작할 거야. 형제
간에 싸워 가면서라도 달걀을 잘 모았다가 팔아서 여비를
마련해야지. 숙박비는 언제나처럼 민박으로 할 테니까
칠 것도 없고……."

"선생님까지 결국은 절 업신여기시는군요."

한뫼가 일어섰다. 어둠 때문일까, 한뫼는 의젓해
보이기보다는 오히려 퍽 쓸쓸해 보였다. 문 선생님도 따라
일어서서 한뫼의 어깨를 안아 토닥거리며 다시 앉혔다.

"그렇지만 여행하는 사람이 바뀔 거야. 금년엔 우리 반

아이들이 도시로 여행하는 게 아니라 우리 반 아이들이
도시 아이들을 초청하는 거야. 우리가 여비까지 부담해
가면서 말야. 왜 진작 그런 생각을 못 했을까. 이건 진짜
기막힌 생각이야. 네 덕이다. 한뫼야, 고맙다."

　　문 선생님 혼자 뛸 듯이 기뻐할 뿐, 한뫼는 여전히
우울해 보입니다.

　　"기발한 생각이군요. 선생님, 그렇지만 좋은 생각은
못돼요. 편안한 방에 앉아서 초콜릿을 야금야금 핥으며,
주스를 찔금찔금 마시며, 달걀을 한꺼번에 백서른 개씩
먹는 쇼를 보고 깔깔대던 아이들을 이 두메 산골에 데려다
어쩌겠다는 거죠?"

　　"우선 달걀을 보여 줘야지. 그들이 보고 배운 달걀과는
또 다른 달걀을. 너도 도시에 가서 우리가 보고 배운 달걀의
쓸모와는 전혀 다른 달걀의 쓸모를 배웠지 않니? 너는 네가
새롭게 배운 것에 대해 후회하거나 업신여기는 마음을
가져선 안 된다. 사물을 바르게 이해하기 위해선 그 사물의
헤아릴 수 없이 많은 쓸모에 대해 골고루 알아 두는 게
좋아. 아마 도시 아이들도 놀랄 거야. 그들이 천대하고
웃음거리로 삼던 달걀이 얼마나 값어치 있게 쓰여지는가를
알면."

"그것 때문에 여기까지 도시 아이들을 부를 건 없잖아요. 우린 도시에서 달걀만 본 게 아니라 별의별 걸 다 보았는데, 이 두메에 뭐가 있다고……."

"이 두메에 없는 것이 뭐 있니? 나는 도시 사람들이 달걀을 업신여기는 것보다 네가 우리가 가진 것을 업신여기는 것이 더 섭섭하다."

"도시엔 문명이 있어요."

"두메엔 자연이 있다."

"우리가 문명을 보고 깜짝깜짝 놀랄 때마다 도시 아이들은 우리를 시골뜨기 취급했어요."

"당연하지. 우린 시골뜨기니까. 이번에 도시 아이들이 자연을 보고 깜짝 놀랄 차례다. 그러면 우린 걔네들을 서울뜨기 취급하자꾸나."

"그건 재미없을 거예요."

"왜?"

"걔네들은 더욱 으스댈 테니까요."

"우리의 마음 속에 시골뜨기보다는 서울뜨기가 더 잘났단 마음이 있으면 걔네들은 으스댈 테고, 시골뜨기나 서울뜨기나 각각 길들인 환경이 다를 뿐 어느 쪽이 못나거나 잘나지 않았다는 걸 알고 있으면 결코 걔네들은 으스대지 못 할 거다."

"그렇지만 우린 걔네들보다 모르는 게 너무 많아요. 걔네들 눈엔 우리가 바보처럼 보일 거예요."

"선생님 조카는 도시의 초등 학교에서 쭉 반장 노릇만 하는 아이지. 마치 너처럼. 그 녀석이 90점 맞은 자연 시험지를 보니까 글쎄 콩은 외떡잎 식물, 옥수수는 쌍떡잎 식물이라고 바꾸어 썼더구나. 자연 시험 보기 전날 밤새도록 달달 외우고도 그런 실수를 하다니, 넌 그 녀석이야말로 바보라고 생각하지 않니?"

"도시에 있는 '어린이의 낙원'이란 공원은 참으로 아름다웠어요."

"나도 안다. 우리 나라에 있는 공원 중에서 가장 잘 꾸며진 공원으로 누구나 그 곳을 손꼽지. 왜 그런 줄 아니? 그 공원이 가장 자연에 가깝게 꾸며졌기 때문이야. 가장 교묘하게 자연의 흉내를 냈기 때문이지. 그러나 흉내는 진짜만은 못하지. 아마 도시 아이들은 이 곳의 진짜 자연에 넋을 잃을 게다."

"그 곳의 분수는 참으로 신기했어요."

"처음 봤으니까 그렇지. 며칠만 계속해 보면 시들해질걸. 더구나 그 분수가 사람들의 조작에 의해 물이 마르면 아주 꼴사납지. 그렇지만 우리 고장의 선녀폭포가 물 마른 것을 본 일이 넌 없을걸? 너희 할아버지도 그것을 보시진 못했을 거야. 몇천 년을 한결같이 흐르면서도 매일 다르게 흐르지. 그래서 매일 봐도 새롭게 가슴이 울렁거리지 않던?"

"하긴 그래요. 분수가 신기하긴 했지만 선녀폭포를 볼 때처럼 가슴이 울렁대고 피가 맑아지는 것 같은 느낌이 들진 않았어요."

"거 봐라. 도시 아이들이 선녀폭포를 본다는 것은 우리가 분수를 본 것의 몇 갑절 되는 신비한 경험이 될 거다."

"그렇지만 그 곳 동물원엔 세계 각국의 동물이 없는 거 없이 다 모여 있었어요."

"세계 각국의 동물을 한자리에서 볼 수 있다는 건 좋은 공부지. 우리 고장에선 다람쥐하고 산토끼하고 노루하고 멧돼지밖에 볼 수 없으니까. 그렇지만 도시의 동물들은 한결같이 우리 속에 있고, 우리 고장의 동물들은 자유롭게 있지 않니. 세계 각국의 동물이 없는 거 없이 모여서 사람들이 만들어 놓은 환경에 길들여져 사는 걸 보는 것도 신기하지만 노루는 노루답게, 다람쥐는 다람쥐답게, 산토끼는 산토끼답게 제 나름의 방법으로 자연 속에서 사는 모습을 보는 것은 더 신기할걸."

"그 곳의 천체 과학관에선 대낮에도 하늘의 별자리를 볼
수 있었어요."

"도시에선 밤에도 별자리가 안 보인단다. 우리 고장에서
볼 수 있는 아름다운 밤 하늘을 우리만 보기에 아까운
것만으로도 도시 아이들을 초대할 만하지 않겠니?
이 고장의 밤 하늘은 도시 아이들에게 가장 놀라운 경험이
될걸."

"그렇지만 선생님, 도시에선 수없는 문명의 이기들이
사람 사는 걸 돕고 있었어요. 우린 그걸 길들이기는커녕
자주 그 이름과 쓸모를 헛갈리고 겁을 내고 했어요. 그럴
때마다 도시 아이들은 우리를 불쌍히 여기는 것 같았고,
우린 무식쟁이가 된 것처럼 주눅이 들었어요."

"도시 아이들은 아마 토끼풀하고 괭이밥하고도 헛갈리는
애 천질걸. 한뫼야, 우리가 문명의 이기에 대해 모르는 건
무식한 거고, 도시 아이들이 밤나무와 떡갈나무와 참나무와
나도밤나무와 참피나무와 물푸레나무와 피나무와
가시나무와 은사시나무와 가문비나무와 전나무와 삼나무와
잣나무와 측백나무에 대해 모르는 건 유식하다는 생각일랑
제발 버려야 한다. 그건 똑같이 무식한 거니까, 너희가

특별히 주눅들 필요는 없지 않겠니. 그러나 너희들은 싫건 좋건 앞으로 문명과 만나고 길들여질 테지만, 도시 아이들에게 있는 그대로의 자연과 만나 가슴을 울렁거릴 기회는 좀처럼 없을걸. 그런 경험을 놓치고 어른이 되어 버리면 너무 불쌍하지 않니. 바로 그런 소중한 경험을 너희들은 도시 아이들한테 베풀 수가 있어. 달걀로 말이다."

한뫼는 더 이상 말대답을 하지 않고 선생님의 얼굴을 물끄러미 바라보기만 했습니다. 선생님의 얼굴은 어둠 속에서도 달덩이처럼 환합니다.

"인석아, 왜 그렇게 쳐다봐? 선생님 얼굴에 뭐 묻었냐?"

"아뇨. 우리 나라에서 제일가는 선생님의 얼굴을 마음 속에 새겨 두려고요."

"인석아, 달걀을 달걀로 갚으려는 생각은 내가 한 게 아니라 네가 한 거야."

시인의 꿈

길이란 길은 모조리 포장되고 집이란 집은 모조리
아파트로 변한 아주 살기 좋은 도시가 있었습니다.

한 소년이 얼음판처럼 매끄럽고, 티끌 하나 없이 정갈한
아파트 광장에서 이상한 것을 발견했습니다. 그것은 낡은
자동차 모양을 하고 있었습니다만 바퀴는 없었습니다.
작은 유리창이 있었기 때문에 호기심 많은 소년은 안을
들여다보았습니다.

안에는 작은 침대와 몇 권의 책이 있고, 수염이 하얀
할아버지가 깡통에 든 더러운 음식을 먹고 있었습니다.
그러니까 그 속에서 사람이 살고 있었던 것입니다.

소년은 그런 곳에서 사람이 살 수 있다는 것을 직접
눈으로 보면서도 믿을 수가 없었습니다.

유리창을 통해 소년과 할아버지는 눈이 마주쳤습니다.
할아버지가 손짓하며 웃었습니다. 소년은 할아버지의
웃음이 매우 보기 좋다고 생각했지만 도망쳤습니다.
괜히 가슴이 두근거렸습니다.

소년은 집에 와서 어머니에게 자기가 본 것을
말했습니다. 어머니는 고층 아파트의 창으로 소년이
가리키는 곳을 내다보고 소년의 말이 아주 허황된 소리는
아니라고 생각한 듯합니다.

이웃 집을 돌면서 그 사실을 알렸습니다. 그것은 아주
기괴한 소문이 되었습니다. 거기서 사람이 산다는 건
고사하고, 그 깨끗한 곳에 그런 게 갑자기 생겼다는 것만도
이상했습니다.

이 도시에선 사람은 모조리 아파트에 살기 때문에 개나
새 같은 애완 동물을 기르지 않은 지가 오래됩니다.
그렇다고 이 도시에 동물이 아주 없는 것은 아닙니다.
모든 동물은 동물원에 수용되어 있습니다. 그렇기 때문에
낡은 차같이 생긴 것 속에 사람이건 짐승이건 목숨 있는
것이 살고 있다는 것은 기괴한 일일 수밖에 없습니다.

소문을 들은 몇 사람의 어른이 그 곳에 가 보고
왔습니다. 소년이 헛것을 본 것이 아니란 게
증명되었습니다.

그 중 가장 나이 지긋한 부인이 무릎을 치면서
말했습니다.

"이제야 생각납니다. 내가 아주 어렸을 적, 이 도시가
지금처럼 살기 좋은 도시가 되기 전의 일입니다. 저런 것이
이 도시 변두리에 널려 있었습니다. 그겁니다. 바로
그겁니다. 그것은 무허가 판잣집이라는 겁니다. 무허가
판잣집은 그 시절 이 도시의 가장 큰 골칫거리였습니다.
하느님 맙소사! 그것이 이 좋은 세상에 다시 부활을
하다니."

"부인, 진정하십시오. 우린 지금 부인의 지혜를 필요로
하고 있습니다. 그 시절에는 그것을 없애기 위해 어떤
방법을 썼나요? 마음을 가라앉히고 잘 생각해 보십시오.
제발, 부인."

누군가가 그 부인에게 진심으로 애걸했습니다.

"그건 우리 힘으론 안 됩니다. 시청에서나 그 일을 할 수
있습니다. 시청에서 불도저를 갖고 나와 밀어 버리면
됩니다. 여러 채의 무허가 판잣집도 잠깐 사이에 밀어

버렸으니까 저까짓 한 채쯤은 문제 없을 겁니다."

근심에 잠겼던 여러 사람들은 비로소 안심을 하고
시청에 전화를 걸었습니다. 시청 직원은 시민의 말을
도무지 믿으려 들지 않았습니다. 한두 사람도 아닌 여러
사람이 전화통에다 대고 와글와글 얘기를 하자, 그제야
곧 조사단을 내보내겠다고 말했습니다.

조사단이 나와 과연 무허가 판잣집이 있다는 것과
그 속에 사람이 살고 있다는 것을 확인하고 돌아갔습니다.

그러나 시청으로부터의 회답은 비관적이었습니다.
시청에는 아무리 찾아봐도 무허가 판잣집을 없앨 수 있는
법도, 불도저도 없다는 것이었습니다. 그도 그럴 것입니다.
무허가 판잣집이란 것이 이 도시에서 없어진 지가 벌써 몇
십 년째인데 그런 법이 뭣하러 여태까지 남아 있겠습니까?

사람들이 다시 모여 와글와글 의논을 했습니다.

누군가가 그건 곧 저절로 없어질 거라고 말했습니다.
왜냐 하면 그 속에서 살고 있는 사람이 노인네니까,
곧 죽게 될 것임에 틀림이 없다는 것이었습니다.

그리고 보니 문제는 판잣집이 아니라 거기 살고 있는
사람이었습니다. 사람만 없다면 그까짓 작은 집은 폐차장에
갖다 버리면 그만일 것입니다.

그래서 보기 싫은 판잣집을 없애는 일은 노인이 죽는
날까지 미루기로 여럿이 합의를 보았습니다. 사람들은
판잣집 때문에 놀라고 떠들었을 때와는 딴판으로
곧 그 일을 잊어버렸습니다.

그러나 소년만은 가끔 그 판잣집을 기웃거려 봤습니다.
대개는 비어 있었습니다. 비어 있을 적에도 열쇠가 채워져
있는 일은 없었습니다. 그 속엔 누가 도둑질해 가고 싶을
만한 물건이라곤 없었으니까요.

어느 날 소년은 몰래 그 판잣집 안으로 들어갔습니다.
몰래라는 것은 할아버지 몰래가 아니라,
아파트에 사는 사람들 몰래라는
소리입니다. 모든 사람이 하루빨리 없어져
주기를 바라는 집에 들어간다는 것은

나쁜 짓 같아, 될 수
있으면 누구의 눈에도 띄고
싶지 않았던 것입니다.

　판잣집 속은 창으로 엿보던 것과 마찬가지로
구질구질했지만 이상하도록 아늑했습니다. 침대의 모포는
털이 다 빠진 낡은 것이었지만 부드럽고 부숭부숭했고,
스프링이 망가져 내려앉은 침대는 할아버지 몸의 모양대로
움푹 들어가 있어 소년의 몸을 정답게 받아들였습니다.
소년은 요람에 누워 가만가만 흔들리던 어릴 적처럼
편안했습니다.

　손만 뻗으면 닿을 수 있는 머리맡에는 나무판자에
벽돌을 괴어 만든 선반이 있고, 선반에는 책과 그릇과
색종이로 접은 새와 짐승과 꽃들이 아무렇게나 섞여
있었습니다. 소년은 침대에 누워 이런 것들을 보며 이런
방에서 살아 보았으면 하고 생각했습니다. 소년은 넓고
잘 꾸며진 자기의 방을 가지고 있고, 또 엄마 아빠의 방과
응접실과 서재에 대해 알고 있습니다.

　소년은 또 많은 친구를 가지고 있어 친구의 방에

대해서도 알고 있습니다. 소년은 또 가끔 엄마 아빠와 함께
친척 집을 방문하는 일도 있어 친척들의 방에 대해서도
알고 있습니다. 그러나 그 방들은 한결같이 비슷했기
때문에 소년은 방이란 다 그렇고 그런 거란 생각밖엔 해 본
적이 없습니다.

　소년은 손을 뻗어 선반의 책을 한 권 꺼내 펼쳤습니다.
책은 그림책이었습니다. 공작새보다 더 아름다운 날개를
가진 곤충들로 가득 차 있었습니다. 소년은 학교에서
곤충에 대해 배운 적이 있습니다. 그러나 본 적은 없습니다.
사람 외에 살아 있는 짐승의 대부분은 동물원에 가면 볼 수
있었지만 곤충만은 왠지 동물원에도 없었습니다. 소년은
학교에서 곤충을 사람에게 이로운 곤충과 해로운 곤충
두 가지로 나누어 배웠기 때문에 많은 곤충의 이름을 외워
두었지만 곤충은 두 종류밖에 없는 줄 알았습니다.

　그러나 할아버지의 책 속에는 수백 수천 가지의
곤충들이 있었고, 그것들은 각기 제 나름으로
아름다웠습니다. 황홀하게 빛깔 고운 날개를 가진 곤충도
있고, 오색이 찬란한 딱지를 가진 곤충도 있고, 엄마의
속치마 레이스보다도 훨씬 섬세한 날개를 가진 곤충,
생김새가 아기자기한 곤충, 징그러운 곤충, 용감해 보이는

곤충……. 소년은 그 많은 곤충이 하늘을 나는 광경을
그리며 가슴을 두근댔습니다.

그런데 어느 틈에 할아버지가 들어와 계셨습니다.

"할아버지, 이 아름다운 것들은 어디 가면 볼 수
있나요?"

"우리 나라에선 이제 아무 데서도 그걸 볼 수 없을걸.
우리 나라보다 못살고 우리 나라보다 덜 문명화된 나라에나
남아 있으려나 몰라."

할아버지가 슬픈 듯이 말했습니다.

"그러니까 할아버지, 이것들은 사람들이 잘 사는 것과
문명을 싫어하는군요. 그래서 피해 달아났군요?"

"아니지, 그것들은 아름답지만 지혜가 없기 때문에
태어날 때부터 저절로 알고 있는 것과 조금만 어긋난 일이
생기면 살아 남질 못한다. 피해 달아난 게 아니라 없어진
거지. 사람들이 잘 산다는 것 중에는 땅이란 땅을 시골의
농장만 남기고 모조리 시멘트로 포장을 하는 일도
포함되는데, 이 아름다운 것들은 대개 날개를 달기 전
애벌레 시절을 부드러운 흙 속에서 보낸단다. 목청이 좋은
매미라는 곤충은 17년 동안이나 애벌레로 땅 속에서
보내는 수도 있단다. 생각해 봐라. 20년 가까이 깜깜한

땅 속에서 살다가 마침내 날개가 돋아나, 몇 주일
동안이나마 이 세상에서 자유롭게 날고 노래 부르기 위해
기어 나오려는데, 땅엔 두껍디두꺼운 천장이 생겨 있을
때의 매미의 딱한 처지를. 또 문명이라는 것도 그렇단다.
문명은 이 세상의 살아 있는 것 중에서 가장 종류와 수효가
많은 곤충을 두 가지로 나누었지."

"그건 저도 알아요. 사람들에게 이로운 곤충과 해로운
곤충이죠."

소년은 씩씩하게 대답했습니다.

"맞았다. 그러나 정작 문명이 한 일은 그 다음 일이란다.
문명은 사람에게 해로운 곤충을 닥치는 대로 죽였지.
그러다 보니 이로운 곤충까지 저절로 그 모습이 사라져
갔다. 사람은 사람 본위로 곤충을 두 패로 편을 갈랐는데,
저희끼리는 그게 아니어서 사람이 생각하는 것보다 훨씬
복잡하고 신비롭게 서로 해치며 도우며 잡아먹으며
잡아먹히며 어울려서 살았던 것이지. 사람이 사람에게 가장
해로운 곤충을 멸종시키려고 한 노릇이 결과적으론 가장
이로운 곤충의 먹이를 없애는 일이 되고, 그 일이 자꾸만
일어나면서 곤충 세계의 조화는 깨어지고 말았단다. 문명이
해친 것은 곤충이 아니라 곤충의 조화였고, 조화는 바로

곤충계의 목숨이었으니 곤충이 멸종될 수밖에……."

"할아버지, 그래도 우린 모두 이렇게 잘 살잖아요.
곤충의 도움 없이도 말예요."

"곤충이 없어지고 나서 바람이 꽃가루를 옮기는 식물만
살아 남고, 벌과 나비가 꽃가루를 옮기는 식물은 차츰
자취를 감추었단다. 그러나 사람들은 조금도 근심하지 않고
그런 식물이 자라던 자리에 공장을 짓고 물건을 만들어,
그런 식물이 아직도 살아 남은 나라에 팔아서 그런 식물의
열매를 사 먹기 시작했단다. 근심할 건 아무것도 없었지.
사람은 곤충보다 위대하니까. 돈으로 못 사는 건 아무것도
없었으니까. 그러나 아이들이 나비의 아름다움에 홀려
온종일 푸른 초원을 헤맨다든가, 우거진 녹음 아래서 매미
소리를 들으며 꿈을 꾼다든가, 벌이 윙윙대는 장미밭에서
한 마리 벌이 되어 본 적도 없이 어른이 되는 일을 근심하고
슬퍼하는 사람도 있었느니라. 그건 할아버지가 아주 젊었을
때의 일이고, 할아버지도 그걸 슬퍼한 사람 중의 하나였지."

"할아버지는 그 때 무슨 일을 하셨는데요?"

"할아버지는 그 때 시인이었단다. 아름다운 노래를 많이
지었더랬지."

"그럼, '솔직히 말해서 벙글콘은 아이스크림입니다.

솔직히 말해서 벙글콘은 맛있습니다' 도 할아버지가
지었나요?"

"넌 그것말고 아는 노래가 또 없냐?"

"왜 없어요. '샴푸는 비단결 샴푸, 엄마의 좋은 친구
비단결 샴푸, 비단결 샴푸, 노래하며 샴푸하자 비단결,
라라라라 비단결', '오늘도 만나 카레로 할까요?
달콤하기가 그럴 수 없어요. 매콤하기가 그럴 수 없어요.
만나 카레' 그리고……."

"아, 그만해라. 시가 없어졌구나. 하긴 시인이
없어졌으니까."

"시인은 왜 없어졌나요?"

"곤충을 이로운 곤충과 해로운 곤충의 두 패로 나누듯이
그 때 사람들은 사람이 하는 일도 두 가지로 나누었단다.
사람을 잘 살게 하는 데 쓸모 있는 일과 쓸모 없는
일로……."

"그래서 쓸모 없는 일을 하는 사람에겐 약을 뿌려
없앴나요?"

"예끼 놈, 아무리 장난스런 말이라도 그런 말이 어디
있어?"

할아버지의 얼굴이 정말로 무서워졌습니다. 소년의

입에서 저절로 잘못했습니다는 말이 나왔습니다.

"쓸모 없는 일을 하는 것을 금지시켰단다. 그래서 대개의 시인들은 기술자가 됐지. 그래도 끝까지 시를 안 버리려고 한 시인에겐 쓸모 있는 시를 쓰란 명령이 내렸고. 그래서 '솔직히 말해서 벙글콘은 아이스크림입니다' 라는 노래를 쓴 시인도 생겼고, '샴푸는 비단결 샴푸, 엄마의 좋은 친구 비단결' 이란 노래를 쓴 시인도 생겨났지. 가장 끝까지 시를 사랑하려고 한 시인일수록 가장 크게 시를 더럽혔다니!"

할아버지의 얼굴이 저녁 하늘처럼 슬퍼 보였습니다.

소년도 덩달아 형용할 수 없는 슬픔을 맛보았습니다.

그러나 소년이 할아버지의 말씀을 알아들은 것은 아닙니다.

"할아버지, 한 말씀만 더 여쭤 보겠어요. 그렇지만
아까처럼 화내시진 마셔요."

"알았다. 말해 보렴."

"시가 정말 쓸모 없는 거라면 없어지는 게 당연하지
않을까요? 우리 엄마가 아이들한테 제일 많이 하는
잔소리도 '쓸모 없는 건 제때 제때 내버려라'인걸요."

"할아버진 젊은 시절의 능력과 정열을 오로지 시를 위해
바쳐 온 사람이다. 시가 쓸모 없는 거라고 정해진 후에도
시를 버리고 딴 일을 가진 바 없고, 시를 안 버린답시고
시를 더럽히는 짓도 하지 않았다. 사람은 어느 누구도
아무짝에도 쓸모 없는 것을 위해 자기를 다 바칠 수는
없느니라."

"그러니까 할아버진 시가 쓸모 있다는 말씀을 하시고
싶으시군요?"

"그럼, 그럼, 넌 참 똑똑한 애로구나."

할아버지의 얼굴에 처음으로 활짝 웃음꽃이 피었습니다.
소년은 할아버지의 얼굴이 참으로 보기 좋다고
생각했습니다.

"그런데 왜 시가 쓸모 없는 것 취급을 받았을까요?"

"무엇에 쓸모 있느냐가 문제였지. 그 시절 사람들은 몸을 잘 살게 하는 데 쓸모 있는 것만 중요하게 생각하고 마음을 잘 살게 하는 데 쓸모 있는 건 무시하려 들었으니까."

"그럼 몸이 잘 사는 것과 마음이 잘 사는 것은 서로 다른 건가요?"

"암, 다르고말고. 몸이 잘 산다는 건 편안한 것에 길들여지는 거고, 마음이 잘 산다는 건 편안한 것으로부터 놓여나 새로워지는 거고, 몸이 잘 살게 된다는 건 누구나 비슷하게 사는 거지만, 마음이 잘 살게 된다는 건 제각기 제 나름으로 살게 되는 거니까."

"무슨 말씀인지 잘 모르겠어요, 할아버지. 시가 없어도 조금도 불편하지 않다는 것밖에는."

"시가 있었으면 지금보다 살기가 불편했을지도 모르지. 그렇지만 지금보다는 살맛이 있었을 거야."

"살맛이 뭔데요? 그것은 초콜릿 맛하고 닮은 건가요? 바나나 맛하고 닮은 건가요?"

"그건 몸으로 본 맛이기 때문에 마음으로 보는 살맛하고는 비교를 할 수가 없지. 살맛이란, 나야말로 남과 바꿔치기할 수 없는 하나뿐인 나라는 것을 깨닫는 기쁨이고, 남들의 삶도 서로 바꿔치기할 수 없는 각기 제

나름의 삶이라는 것을 깨달아 아껴 주고 사랑하는
기쁨이란다."

"어렵군요. 할아버진 설마 지금부터 그 어려운 걸 하실
생각은 아니겠죠?"

"실상 나는 너무 늙었다. 그래도 해 볼 작정이다."

"할아버진 어디에서 오셨나요?"

"양로원에서 왔다."

"저도 양로원에 대해서 알고 있어요. 할머니
할아버지들이 가장 편안하게 지낼 수 있는 곳이죠. 저희
할머니도 거기 계시기 때문에 한 달에 한 번씩 방문하는데,
우리 아파트보다 더 좋은 곳이에요. 더군다나 이런
판잣집하고는 댈 것도 아니죠. 그런데 시는 이렇게
초라하고 불편한 곳에서만 쓸 수 있나요?"

"그렇진 않지만 시를 쓰는 마음이 가장 꺼리는 건 몸과
마음이 어떤 틀에 박히는 거지. 시를 쓰는 마음은 무한한
자유를 원하거든. 그래서 우선 양로원이라는 노인들의 틀을
벗어난 거란다."

"그럼 시를 쓰셨나요?"

"아니, 아직 못 썼다. 쓰려면 아직아직 멀었다."

"그러실 거예요. 무엇을 쓰려면 책상 앞에 붙어 앉아

있어야 하는데, 할아버진 매일매일 돌아다니시니까요."

"괜히 돌아다니는 게 아니란다."

"알아요. 잡수실 것을 얻으러 다니시죠? 이제부터 책상에 앉아서 시만 쓰셔요. 잡수실 것은 제가 갖다 드릴게요."

"아니다, 먹을 걸 얻는 데 시간이 걸리진 않는다. 이 고장은 살기 좋은 고장인 데다가 거지는 나밖에 없으니까."

"그런데 왜 온종일 집을 비우고 돌아다니셔요?"

"말을 얻으러 다니지. 시는 말로 쓰지 않니?"

"말이 그렇게 귀한가요, 얻으러 다니게? 참 이 방엔 라디오도 텔레비전도 없군요. 게다가 할아버진 혼자 사시고……. 이제부터 제가 자주 와서 할아버지 말벗이 되어 드릴게요. 그리고 소리는 좋은데 모양이 구식이라 버리게 된 라디오도 한 대 갖다 드리죠."

"너는 참 착한 아이로구나. 그러나 할아버지가 얻으러 다니는 건 그런 말이 아니란다."

"그런 말하고 또 다른 말도 있나요?"

"암, 있고말고. 요새 떠다니는 말은 새로 생긴 물건의 이름하고, 그걸 갖고 싶다는 욕심을 위한 말이 전부지. 그러나 시를 위한 말은 그런 물건에 대한 욕심과는 상관없는 마음의 슬픔, 기쁨, 바람 등을 나타내는 말이란다.

얻으러 다녀 보니 그런 말이 어쩌면 그렇게 귀해졌는지,
이 근처엔 거의 없고 저 변두리 평민 아파트 근처에나
조금씩 남아 있는데, 거기도 온종일 헤매야 겨우 한두 마디
얻어 가질 정도로 드물어."

"그게 언제 모여 시가 되나요?"

"아직 아직 멀었지만, 언젠가는……."

"사람들이 그걸 읽을까요?"

"아직 아직 멀었지만, 언젠가는……."

"그걸 읽으면 사람들이 어떻게 달라질까요?"

"너는 지금 궁전 아파트에 살지?"

"네."

"궁전 아파트 현관의 신발장은 무슨 빛깔이더라?"

"모두 상아빛이에요. 손잡이는 금빛이고요."

"지금 궁전 아파트에 사는 사람은 아무도 상아빛
신발장을 의심하지 않지? 그러나 시를 읽는 사람이 생기면
그걸 의심하는 사람도 생길 거야. 나는 상아빛을 좋아하나?
아닌데 나는 노랑을 좋아하는데, 그러면서 어느 날 노랑색
페인트를 사다가 신발장을 칠해서 자기만의 신발장을 갖는
사람이 생겨난단 말이다. 물론 파랑 신발장, 빨강 신발장을
갖는 사람도 생겨나지. 그래서 궁전 아파트 신발장이 아닌

제 나름의 신발장을 갖게 되는 거야. 또 어린이 중에서도
어른이 가르쳐 준 놀이말고 새로운 놀이를 만들어 내는
어린이가 생겨날 테지. 그 어린이는 판판한 아스팔트
밑에는 도대체 뭐가 있을까 하는 호기심을 참지 못해
그것을 파헤쳐 그 속에 숨은 흙을 보고 말 거야. 그래서
그 속에서 몇 년째 잠자던 강아지풀과 명아주와 조리풀과
토끼풀과 민들레의 씨앗을 눈뜨게 하고, 매미의 마지막
애벌레가 허물을 벗고 가로수를 향해 날아오르게 할 거야.”
  할아버지의 주름투성이 얼굴이 아이들의 얼굴처럼
더없이 맑아지고 눈은 꿈꾸는 것처럼 한없이 먼 곳을 보고
있습니다.
  “할아버지, 이상해요. 할아버지 말씀을 듣고 있으려니까
괜히 가슴이 울렁거려요. 이런 느낌은 처음이에요.”
  “아이야, 고맙다. 할아버지가 이제부터 말을 얻어다 시를
써도 늦지는 않겠구나. 시인의 꿈은 가슴이 울렁거리는
사람과 만나는 거란다.”

옥상의 민들레꽃

우리 아파트 7층 베란다에서 할머니가 떨어져서 돌아가셨습니다. 실수로 떨어지신 게 아니라 일부러 떨어지셨다니까, 할머니는 자살을 하신 것입니다.

이런 일이 벌써 두 번째입니다.

그것을 제일 먼저 발견한 할머니의 며느리가 놀라서 악을 쓰는 소리를 듣고 아파트에 사는 사람들이 모두 베란다로 뛰어나갔습니다. 나도 뛰어나갔습니다만, 엄마가 뒤에서 내 눈을 가렸기 때문에 7층에서 떨어진 할머니가 어떻게 되었는지 보지는 못했습니다.

엄마는 내 눈을 가려 주면서 떨리는 목소리로

말했습니다.

　“오오, 끔찍한 일이다.”

　다른 어른들도 끔찍한 일이야, 오오, 끔찍한 일이야
하면서 아이들의 눈을 가려서 얼른 안으로 데리고
들어갔습니다.

　우리 궁전 아파트는 살기 편하고 시설이 고급이고
환경이 아름답기로 이름이 난 아파트입니다.

우리 나라에서 나는 물건은 물론 외국에서 들어온
물건까지 없는 것 없이 갖추어 놓은 슈퍼마켓도 있고,
어린이를 위한 널찍한 놀이터도 있고, 아름다운 공원도
있고, 노인들을 위한 정자도 있고, 사람의 힘으로 만든
푸른 연못도 있습니다.

누가 "너 어디서 사냐" 하고 물었을 때 궁전 아파트에
산다고 하면 물은 사람의 얼굴에 단박 부러워하는 빛이
역력해집니다. 그리고 한숨을 쉬며 말합니다.

"참 좋겠다. 우린 언제 그런 데 살아 보누."

그러니까 궁전 아파트에 살지 않는 사람들은 궁전
아파트에 사는 사람이 행복하다는 것을 아무도 의심하지
않나 봅니다. 그렇게 믿고 있는 사람들을 실망시키지
않기 위해서라도 궁전 아파트에 사는 사람들은 모두 모두
행복할 수밖에 없습니다.

그런데 이게 웬일입니까? 벌써 두 사람째나 살기가
싫어서 스스로 목숨을 끊었습니다. 얼마나 사는 것이
행복하지 않으면 스스로 목숨을 끊고 싶어질까 궁전 아파트
사람들은 상상할 수 없습니다. 궁전 아파트 사람이 알 수
있는 것은 앞으로 이런 일이 다시는 일어나선 안 된다는
겁니다. 이런 일이 자꾸 일어나 소문이 퍼져 보십시오.
사람들은 궁전 아파트 사람들의 행복이 가짜일 거라고
의심할지도 모릅니다. 그렇게 된다면 큰일입니다.
그런 생각만으로도 궁전 아파트 사람들은 단박 불행해지고
맙니다.

　궁전 아파트 사람들이 이제껏 행복했던 것은 다른
사람들이 그렇게 알아 줬기 때문이니까요.

　그것은 마치 엄마의 보석 반지가 엄마를 행복하게 하는
것은, 보석이 아름다워서가 아니라 보석이 진짜라는 보석
장수의 보증 때문인 것과 같은 이치입니다.

　이제껏 굳게 믿고 있던 행복이 흔들리자, 궁전 아파트
사람들은 그 불안을 견디다 못해 한자리에 모여 의논을
하기로 했습니다. 모이는 장소는 칠십 평짜리를 두 개 터서
쓰는 사장님 댁으로 정해졌습니다.

　나는 엄마의 치마 꼬리에 바싹 다가붙었습니다. 나는

막내입니다. 그래서 엄마는 나를 그냥 어린앤 줄 압니다. 대개의 어리광은 오냐 오냐 하고 잘 들어 줍니다.

넓은 사장님 댁은 벌써 사람들로 꽉 들어차 있습니다. 반상회 날보다 더 많은 사람이 모여들었습니다. 반상회 날은 더러 아이들도 섞여 있었는데, 오늘은 아이들은 한 명도 안 보입니다. 어른들만 모여 있으니까 회의의 분위기가 한층 엄숙해지는 것 같았습니다.

엄마도 그제야 내가 따라간 것이 창피한지 눈짓을 하며 나를 등 뒤로 숨기려 들었습니다. 그러나 나는 엄마 등 뒤에 숨을 수 있을 만큼 작은 아이가 아닙니다. 나는 나타나 있고 싶고 참견도 하고 싶었습니다. 딴 일이라면 모를까, 이런 일은 내가 꼭 참견을 해야 할 것 같았습니다.

왜냐 하면 나는 그 할머니가 왜 살고 싶지 않았는지를 알고 있기 때문입니다. 생전의 그 할머니와 사귄 적도 본 적도 없었지만 그것만은 자신 있게 알고 있었습니다.

"에에 또, 이렇게 여러 귀빈들을 한자리에 모셔서 영광입니다. 오늘은 저희 집에 모신 만큼 제가 임시 회장이 되어서 이 회를 진행하겠습니다. 아, 참 회장이 있으려면 회 이름도 있어야겠군요. 명함에 박으려면 무슨 무슨 회 회장이라고 해야지 그냥 회장이라고 할 수 없지 않습니까?

안 그렇습니까, 여러분!"

"옳습니다!"

여러 사람 다 찬성을 했습니다.

"서로 돕기회가 어떻겠습니까?"

어떤 젊은 아저씨가 말했습니다.

"안 됩니다, 그건. 서로 돕다니요? 우리가 뭐가 부족해서 서로 돕습니까? 이웃돕기는 가난하고 불쌍한 사람들끼리 하는 겁니다."

"옳소, 옳소."

여러 사람이 찬성했기 때문에 서로 돕기회는 부결이 됐습니다.

"그, 그렇지만 우리가 여기 이렇게 모인 건 서로 돕기 위해서가 아닙니까?"

서로 돕기회를 주장한 젊은 아저씨가 외롭게 대들었습니다.

"아닙니다. 이번 사고를 수습할 대책을 마련하려고 모인 겁니다."

"아, 됐습니다. 바로 그겁니다. 수습 대책 협의회가 좋겠군요. 궁전 아파트 사고 수습 대책 협의회……

적당히 어렵고 적당히 길고…… 그걸로 정할까요?"

"사장님, 아니 회장님, 그럼 그 명의로 명함을 박으실 건가요?"

"그러문요. 썩 마음에 드는 명칭입니다. 안 그렇습니까?"

"안 그렇습니다. 그건 마치 우리 궁전 아파트가 사고만 나는 아파트란 인상을 퍼뜨리는 것과 같습니다. 아파트 값이 뚝 떨어질지도 모릅니다."

아파트 값이 떨어질지도 모른다는 소리에 일제히 와글와글 들고 일어나 그 이름도 부결이 됐습니다.

"여러분, 지금 급한 건 회의 이름짓기가 아닙니다. 어떡하면 그런 사고가 다시는 안 일어나게 하나 하는 것입니다. 이번이 벌써 두 번째입니다. 이 소문이 퍼져 보십시오. 제일 먼저 영향을 받는 건 우리 아파트 값일 겁니다. 아마 한 번만 더 사고가 나면 우리 아파트 값은 당장 똥값이 될걸요."

회 이름을 서로 돕기회로 하자던 아저씨가 이렇게 말하자 장내는 조용해지고 사람들의 얼굴은 사색이 됐습니다.

"여러분, 우리 아파트 값을 똥값으로 만들지 않기 위해 머리를 짭시다. 좋은 의견이 있으신 분은 기탄없이 말씀해 주십시오."

"젊은 사람, 그것은 회장의 권한입니다. 좋은 의견이
있으신 분 기탄없이 말씀해 주십시오."

회장이 젊은 아저씨로부터 말끝을 빼앗았습니다.

"저요, 저요."

나는 학교에서 선생님께 시켜 달라고 조를 때처럼 손을
먼저 들면서 벌떡 일어서려는데 엄마한테 세차게
붙잡혔습니다.

"아니, 여기가 어딘 줄 알고 네가 나서려고 해.
아이 창피해."

엄마의 얼굴이 홍당무가 됩니다. 아니, 여기가 어디라고
아이를 끌고 다녀 쯧쯧, 사람들이 수군대는 소리도
들립니다. 엄마는 얼굴이 더 빨개지면서 어쩔 줄을
모릅니다.

"제가 한마디 하겠습니다."

뚱뚱한 아줌마가 몸을 일으키는데 하도 오래 걸리니까
뒤에 앉은 사람이 영치기 하고 큰 소리로 외치며 엉덩이를
들어 주었습니다. 모인 사람들이 처음으로 웃음을
터뜨렸습니다.

"여러분, 이건 웃을 일이 아닙니다."

뚱뚱한 아줌마가 엄숙한 얼굴로 말을 시작했습니다.

"나도 조금 전까지만 해도 지금처럼 심각하진 않았습니다. 우리 집엔 노인네가 안 계시니까요. 그러나 지금은 누구 못지않게 심각합니다. 다들 그래야 됩니다. 노인네를 지키는 것은 노인네를 모신 집만의 골칫거리지만 아파트 값의 최고 자리를 지키는 것은 우리 모두의 일입니다. 아시겠어요?"

장내가 물을 끼얹은 듯 조용해졌습니다.

"제일 먼저 우리가 할 일은 절대로 이번 사고를 입 밖에 내지 않는 겁니다. 소문만 안 나면 그런 일은 없었던 거나 마찬가지입니다. 다음은 그런 일이 다시는 안 일어나게 하는 겁니다. 감쪽같이 감추는 것도 한두 번이지 자꾸 계속되면 소문이 안 날 수가 없게 됩니다. 왜냐 하면 이사 가는 사람이 생기거든요. 나부터도 그런 사고가 한 번만 더 나면 아파트 값이 뚝 떨어지기 전에 제일 먼저 팔고 이사를 갈 테니까요. 이사만 가 보셔요. 뭐가 무서워 소문을 안 냅니까. 아시겠죠? 소문을 안 내는 것보다는 그런 사고가 또다시 안 일어나게 하는 게 더 중요한 까닭을……."

모두 말없이 고개만 끄덕였습니다. 뚱뚱한 여자는 더욱 의기양양해서 연설을 계속했습니다.

"그래서 제가 연구한 사고 방지책을 지금부터 말씀드리겠어요. 조용히 하셔요, 조용히. 우리 아파트 베란다는 너무 허술해요. 노인네가 아니라도 아이들이 장난치다 떨어지지 말란 법도 없잖아요."

"아유 끔찍해라."

엄마가 나를 꼭 껴안았습니다. 딴 엄마들도 아이들이 떨어질 수 있다는 새로운 근심에 안절부절을 못합니다. 아이들한테만 집을 맡기고 온 엄마는 뒤로 몰래 빠져 나갈 눈치를 보기도 합니다.

"그래서 베란다에다 일제히 쇠창살을 달면 어떨까 하는 의견을 말씀드리는 겁니다. 바람은 통하되 사람의 몸이 빠져 나갈 수는 없는 쇠창살 말입니다."

"옳소, 옳소."

"옳은 말씀이에요. 왜 진작 그 생각을 못 했을까? 이제부터 발 뻗고 자게 됐지 뭐예요."

모든 사람들의 얼굴에는 근심이 걷히면서 뚱뚱한 여자의 의견에 대한 칭찬의 소리가 자자했습니다.

"옳은 일은 서두르는 게 좋아요. 곧 쇠창살을 해 달도록 하셔요. 회장의 권한으로 명령합니다."

회장님이 주먹으로 탁탁 응접 탁자를 치면서

말했습니다.

"쇠창살 주문은 내가 받겠어요. 우리 애기 아빠가 쇠붙이 회사 사장이니까요. 누구보다도 값싸게 누구보다도 빨리 해 드릴 수가 있어요. 품질은 보증하겠느냐구요? 여부가 있나요."

뚱뚱한 여자가 신이 나서 소리쳤습니다. 사람들은 서로 먼저 쇠창살 신청을 하려고 밀치고 아우성쳤습니다.

"여러분, 침착하세요. 이럴 때일수록 흥분을 가라앉히고 이성을 되찾아 침착하게 생각해야 합니다. 과연 쇠창살이 가장 좋은 방법일까요?"

젊은 아저씨가 아우성치는 사람들을 향해 팔을 휘두르며 외쳤습니다. 사람들은 젊은 아저씨의 다음 말을 기다리느라 잠깐 조용해졌습니다. 그 때 나는 내가 다시 나서야 할 것처럼 느꼈습니다.

나는 알고 있기 때문입니다. 베란다에서 떨어져서 그만 살고 싶은 마음을 돌이킬 수 있는 건 쇠창살이 아니라 민들레꽃이라는 걸 나만이 알고 있기 때문입니다. 내가 알고 있는 건 어른들처럼 갑자기 떠오른 날림 생각이 아니라 겪어서 알고 있는 것이기 때문에 더욱 자신이 있습니다.

'베란다에 있어야 할 것은 쇠창살이 아니라 민들레꽃이에요. 정말이에요.'

그 소리를 소리 높이 외치고 싶어 목구멍이 간질간질하고 가슴이 두근댑니다. 오줌을 쌀 것처럼 아랫도리가 뿌듯하기도 합니다. 나는 참을 수가 없어서 몸부림치면서 엄마의 품을 벗어나려고 했습니다.

"얘가, 누구 망신을 시키려고 또 이래?"

엄마는 입 속으로 중얼대면서 쇠사슬처럼 꽁꽁 나를 껴안았습니다. 젊은 아저씨가 말을 계속했습니다.

"여러분, 우리 아파트가 가장 값이 비싼 것은 내부의 시설과 부대 시설이 잘 된 때문만은 아니란 사실을 알아야 합니다. 우리 아파트는 겉모양이 아름답기로도 소문난 아파트입니다. 지나가던 사람도 우리 아파트를 보면 단박 살고 싶은 생각이 들 만큼 아름다운 겉모양을 하고 있습니다. 옛 궁전에서 귀족 노릇을 하는 것 같은 착각이 생기기도 합니다. 그런 아파트의 베란다마다 쇠창살을 달아 보셔요. 사람들이 뭘 연상하겠습니까?"

"감옥소요. 감옥소."

"세상에 끔찍해라, 감옥소라니."

"아파트 값이 똥값이 되고 말 거예요."

"나라면 거저 줘도 안 살 거예요."

이렇게 해서 베란다에 쇠창살을 달자는 의견은 흐지부지 되고 말았습니다. 그러나 뚱뚱한 여자는 기가 꺾이지 않고 새로운 의견을 내 놓았습니다.

"젊은 양반이 좋은 얘기해 줘서 고마워요. 그 생각을 못한 건 실수였어요. 그럼 이렇게 하는 게 어떻겠어요? 베란다 쪽으로 난 유리창에 새로운 자물쇠를 달면요? 우리 쇠붙이 회사에서 요새 발명해서 특허를 낸 자물쇠인데 한번 잠갔다 열려면 열쇠 가지고도 반나절은 넘게 걸리고, 그 동안에는 시끄러운 소리가 계속 난다니 노인네나 아이들이 몰래 열고 나갈 가망은 절대로 없잖아요."

"그렇지만 엄마들이 집을 비우는 시간이 어디 반나절만 되나요?"

구석에 앉은 젊은 엄마가 말했습니다.

"그러니까 시끄러운 소리를 나게 한 거 아뉴? 시끄러운 소리가 반나절이나 나면 이웃끼리 서로 연락을 해서 사고를 미연에 방지할 수가 있으니까."

"참, 그렇겠군요."

젊은 엄마가 고개를 움츠렸습니다.

"그렇지만, 여러분."

여태까지 잠자코 있던 노교수님이 반백의 머리를
쓰다듬으며 일어섰습니다.

"창을 열기가 너무 어렵다고 생각하지 않으십니까?
우리 궁전 아파트의 특징은 여름엔 창문을 꼭꼭 닫고
살다가 겨울엔 활짝 열어 놓고 사는 것인데, 겨울에 창이
닫혀 있어 봐요. 사람들이 뭐라고 하겠어요? 이건 우리
아파트의 품위에 관계되는 중대한 문젭니다. 물론 아파트
값과도 상관이 있는 문제입니다만……."

노교수님이 품위있게 슬쩍 말끝을 흐렸습니다. 그러나
아파트 값을 들먹였다는 것으로 노교수의 말씀은 단박
사람들의 마음을 사로잡았습니다.

뚱뚱한 여자는 두 가지 쇠붙이를 다 팔아먹을 수 없게
되자 풀이 죽어 제자리에 앉아 버렸습니다.

"제 생각으로는……."

노교수님이 천천히 입을 열었습니다. 사람들의 눈길이
노교수님의 우물대는 입가로 모였습니다.

"제 생각으로는 할머니가 두 분씩이나 왜 갑자기 살고
싶지 않아졌나, 우리는 그걸 먼저 알아야 된다고
생각합니다. 중요한 건 그 분들이 목숨을 끊고 싶어 끊었지,
베란다가 있기 때문에 끊은 건 아니라는 겁니다. 목숨을 꼭

끊고 싶으면 베란다 아니라도 끊을 데는 얼마든지
있습니다."

"옳소, 옳소."

젊은 아저씨가 눈을 빛내면서 큰 소리로 동의했습니다.

"그 분이 왜 목숨을 끊고 싶었을까, 아는 대로 대답해
주십시오. 먼저 돌아가신 할머니의 따님과
며느님부터……."

교수님은 교수님답게 대답을 기다리지 않고 지적을
합니다. 저번에 돌아가신 할머니는 딸하고 같이 사셨고,
이번에 돌아가신 할머니는 아들하고 같이 사셨답니다.
할머니의 딸과 며느리는 고개를 숙이고 눈물을 닦을 뿐
대답을 못 합니다.

"무엇을 부족하게 해 드리지 않았습니까?"

교수님이 울고 있는 아주머니들을 똑바로 바라보면서
따지듯이 말했습니다.

"아니오, 그런 일 없습니다. 저의 어머니의 방
냉장고에는 늘 그 분이 즐기시는 음식으로 가득 채워졌고,
옷장엔 사시사철 충분히 갈아 입을 수 있는 비단옷으로
가득 차 있었습니다. 그 분이 돌아가신 후 그걸 다 양로원에
기부했는데, 열 사람의 노인네가 돌아가실 때까지 입을 수

있을 거라고 했습니다. 필요하시다면 그 분들을 증인으로
부를 수도 있습니다."

"아, 알겠습니다. 이번엔 며느님에게 변명할 기회를
드리겠습니다."

"저도 마찬가지입니다. 지금도 그 분의 방이 그대로
증거로 보존돼 있습니다만, 부족한 건 아무것도 없습니다.
제 방과 똑같은 크기의 방에 제 방에 있는 건 그 분의
방에도 다 있습니다. 그 분이 한 번도 듣지 않은 전축이나
녹음기도 제 방에 있는 것이기 때문에 그 분 방에도
들여놓았었습니다. 그랬건만 그 분은 늘 불만이셨습니다."

"바로 그겁니다. 그걸 말씀해 주셔야 합니다."

교수님이 마침내 유도 심문에 성공한 형사처럼 좋아하며
그 아주머니 앞으로 한 발 다가갔습니다.

"그 분은 손자를 업어서 기르고 싶어하셨어요."

"그건 안 되죠. 안짱다리가 되니까."

"그 분은 바느질을 좋아해서 뭐든지 깁고 싶어하셨어요.
특히 버선을 깁고 싶어하셨죠."

"점점 더 어렵군요. 요새 버선이라니? 더군다나 기워서
신는 버선을 어디 가서 구하겠소?"

"그 분은 또 흙에다 뭘 심고, 거름을 주고, 김을 매고

싶어하셨어요. 그 분은 시골에서 자란 분이거든요.”

　“참으로 참으로 어려운 분이셨군요.”

　교수님이 낙담을 합니다. 이 때 젊은 아저씨가 또 나섭니다.

　“이제야 알겠습니다. 그 분은 고향이 그리워서 돌아가셨군요.”

　“저희 어머니는 이 도시가 고향인데도 어느 날 베란다에서 떨어지셨어요.”

　먼저 돌아가신 할머니의 딸이 젊은 아저씨에게 대들었습니다.

　“고향이 시골이 아니어도 마찬가지일 겁니다. 도시에서도 사람 살아가는 모습이 예전보다 너무 많이 달라졌으니까요. 노인들은 예전의 사람 사는 모습이 그리워서 더 이상 살고 싶지가 않았을 겁니다. 그렇지만 제아무리 효자라도 세월을 거꾸로 흐르게 할 수는 없습니다. 이렇게 문명된 세상에 돈 가지고 안 되는 일이 아직도 남아 있다는 것은 참으로 통탄할 일입니다.”

　젊은 아저씨가 이렇게 결론을 내리자 장내가 숙연해졌습니다.

　나는 이번에야말로 내가 나설 차례라고 생각했습니다.

다시 목구멍이 간질간질하고 가슴이 울렁거리고 오줌이
마려웠습니다.

　나는 베란다에서 떨어져 목숨을 끊고 싶은 생각을
맨 마지막으로 막아 줄 수 있는 것이 쇠창살이 아니라
민들레꽃이라는 사실을 알고 있음과 마찬가지로, 할머니가
살고 싶지 않아진 것이 세월을 거꾸로 흐르게 할 수 없었기
때문이 아니란 것을 알고 있습니다. 둘 다 상상이나 남에게
들어서 알고 있는 것이 아니라, 스스로 겪어서 알고 있는
것이기 때문에 확실합니다. 나는 어른이 되려면 아직 아직
먼 어린 사람인데도 살고 싶지 않았던 적이 있습니다.
정말입니다.

　나는 그것을 말하고 싶은 마음을 참을 수가 없어서
쇠사슬처럼 단단하게 나를 껴안은 엄마의 팔에서 드디어
벗어났습니다. 그리고 회장석이 있는 앞으로 나가려고
했습니다. 꼭꼭 끼여앉은 어른들을 헤치려니 어떤 아저씨는
어깨를 짚었다고 눈을 부라리고, 어떤 아줌마는 발가락을
밟았다고 비명을 지릅니다. 그러건 말건 나는 반장도
모르는 어려운 문제의 답을 나만이 알고 있을 때처럼
의기양양 신이 나서 사람들을 마구 밀치고 드디어 앞으로
나섰습니다.

그러자 내가 미처 입을 떼기도 전에 회장이 탁자를
탁 치며 호령을 했습니다.

"누굽니까? 도대체 누굽니까? 이런 중대한 모임에
어린이를 데리고 온 분이 누굽니까?"

"죄송합니다. 미안합니다. 얘가 막내라서, 버릇이
없어서……."

어느 틈에 엄마가 따라 나와 나를 치마폭에 싸면서 어쩔
줄을 모릅니다.

"그 아이를 데리고 먼저 퇴장할 것을 회장의 권한으로
허락합니다. 여러분 이의가 없으시겠죠?"

회장이 말했습니다. 모두 이의 없다고, 엄마와 나의
퇴장을 찬성했습니다.

"이 회의에서 앞으로 결정한 일은 서면으로 통지할 테니
빨리 그 애를 데리고 돌아가시오."

저도요, 저도요, 딴 엄마들도 퇴장할 것을 회장한테 허락
맡고자 손을 들었습니다. 사유는 집에 놓고 온 아이가
베란다에서 떨어질까 봐 불안해서 더 이상 회의만 지켜볼
수 없다는 것이었습니다. 회장은 그런 엄마에게도 퇴장을
허락했습니다.

엄마와 나를 선두로 여러 엄마들이 회의장을
물러났습니다. 집에 돌아온 나는 엄마에게 호된 꾸지람을
들었습니다.

나는 꾸지람을 들은 것보다 내가 알고 있는 사실을
발표하지 못한 것이 억울하고 슬펐습니다. 내가 알고 있는
것을 어른들이 귀담아 들어만 주었더라면, 베란다에서
사람이 떨어져 죽는 일을 미리 막는 데 적지 않은 도움이
되었을 것입니다.

내가 지금보다 어렸을 적입니다. 학교에도 가기
전이었으니까요. 어느 날 누나와 형이 학교에서 만든 꽃을
한 송이씩 들고 왔습니다. 내일이 어버이날이라나요.
누나와 형은 또 조그만 선물 꾸러미도 마련해 놓고
있었습니다. 내일 아침 꽃과 함께 엄마 아빠께 드릴 거라고
했습니다.

그 날 밤, 나도 꽃을 만들었습니다. 누나가 쓰던
색종이를 오려서 만든 꽃은 보기에는 누나나 형 것만 훨씬
못해 보였습니다. 힘들이고 정성들여 만든 것이기 때문에
엄마 아빠가 신통해 하실 것을 믿고 가슴이 잔뜩 부풀어
있었습니다. 선물은 장만하지 않았습니다. 나는 학교를
들어가기 전이라 용돈이 없으니까, 그것으로 엄마 아빠가
섭섭해 할 리는 없었습니다.

어버이날 아침이 되었습니다. 아침상에서 누나가 먼저
선물과 꽃을 아빠 앞에 내어 놓았습니다. 아빠는 누나에게

뽀뽀하고 선물을 풀었습니다. 넥타이핀이 나왔습니다.
아빠는 입이 귀에까지 가 닿게 크게 웃으시면서
그 자리에서 넥타이핀을 넥타이에 꽂고, 꽃은 양복깃에
달았습니다. 아빠의 얼굴이 예식장의 신랑처럼 행복하고
젊어 보였습니다.

　다음에는 형이 꽃과 선물을 엄마에게 드렸습니다.
엄마가 형한테 뽀뽀하고 선물을 풀었습니다. 오색 찬란한
브로치가 나왔습니다. 엄마는 꺄악 소리를 내면서
좋아하시더니 브로치를 당장 블라우스에 달고, 꽃은
단추구멍에 끼우셨습니다.

　다음은 내 꽃을 드릴 차례입니다. 그러나 형과 누나는 내
차례는 주지도 않고 어버이날 노래를 부르기 시작했습니다.
나는 그 노래를 모르기 때문에 따라하지 못했습니다.

　형과 누나의 노래를 들으며 부끄러워하고 좋아하시는
엄마 아빠의 모습이 꼭 신랑 신부처럼 곱고 앳돼 보입니다.
나는 엄마 아빠가 아무쪼록 오래 아름답고 젊기를
마음 속으로부터 바랐습니다. 그런 바람을 전하는 마음으로
나는 점잖고 조용히 나의 꽃을 엄마와 아빠의 사이에
놓았습니다. 꽃을 두 송이 준비할 걸 후회도 했습니다만,
어느 분이 가져도 상관없다고 생각했습니다. 두 분이 함께

쓰는 물건이 한두 가지가 아니기 때문입니다. 두 분께 꽃을
드리고 나자 나는 뽐내고 싶은 마음보다는 부끄러운 마음이
더해서 고개를 숙이고 아침도 먹는 둥 마는 둥 했습니다.

누나와 형은 학교에 갔습니다. 아빠는 꽃을 단 채
출근했습니다. 엄마도 꽃을 단 채 노래를 부르면서
집안일을 했습니다. 나는 놀이터에 나가 놀았습니다.

놀이에 싫증도 나고 배도 고프기에 집에 들어와
냉장고를 열려다 말고 나는 내 꽃을 보았습니다. 내 꽃은
식당 구석에 있는 쓰레기통 속에 과일 껍질과 밥 찌꺼기와
함께 버려져 있었습니다.

그 때 엄마는 거실에서 전화를 걸고 있었습니다.
오래간만에 소식을 알게 된 친구로부터의 전화인가 봅니다.
아이는 몇이나 되나, 친구가 물어 본 모양입니다.
엄마는 한숨을 쉬면서 대답했습니다.

"글쎄 셋이란다. 창피해 죽겠지 뭐니. 우리 동창이나
우리 아파트에서 사는 사람들을 아무리 살펴 봐도 하나
아니면 둘이지, 셋씩 낳은 사람은 하나도 없더구나. 창피해
얼굴을 들고 다닐 수가 없단다. 어쩌다 군더더기로 막내를
하나 더 낳아 가지고 이 고생인지. 막내만 아니면 내가
지금쯤 얼마나 홀가분하겠니. 막내만 아니면 내가 남부러울

게 뭐가 있니?"

　그 때 나는 처음으로 엄마에게 내가 필요하지 않다는 사실을 알았습니다. 나에겐 나의 가족이 필요한데, 나의 가족은 나를 필요로 하지 않는다는 것은 견디기 어려운 슬픔이었습니다.

　엄마는 늘 나를 막내, 우리 귀여운 막내 하면서 끼고 돌았기 때문에 나는 한 번도 엄마가 나를 사랑한다는 것을 의심해 본 적이 없었습니다. 그러나 엄마의 사랑은 거짓이었습니다. 나는 엄마를 진짜로 사랑했는데, 엄마는 나를 거짓으로 사랑했던 것입니다.

　나는 말없이 집을 나왔습니다. 계단을 오르고 또 올랐습니다. 마침내 옥상까지 올랐습니다. 옥상에서 내려다보니까 사람들이 개미처럼 작게 보였습니다. 나는 살고 싶지 않다고 생각했습니다. 확실히 그렇게 생각했습니다. 내가 사랑하는 사람들이 내가 없어져 주었으면 하고 바라고 있는데, 무슨 재미로 살아가겠습니까?

　나는 옥상에서 떨어지기 위해 밤이 되길 기다렸습니다. 낮에 떨어지면 사람들이 금방 보게 되고 병원에 데리고 가서 살려 놓을지도 모르기 때문입니다. 나는 정말로 살고 싶지 않았기 때문에 밤까지 기다려야 했습니다.

밤을 기다리는 동안 춥지도 않았고 배고프지도
않았습니다.

아파트 광장에 차와 사람의 움직임이 멎자 둥근 달이
하늘 한가운데 와서 옥상을 대낮같이 비춰 주었습니다.
마치 세상에 달하고 나하고만 있는 것 같은 기분이
들었습니다. 그 때 나는 민들레꽃을 보았습니다. 옥상은
시멘트로 빤빤하게 발라 놓아 흙이라곤 없습니다. 그런데도
한 송이의 민들레꽃이 노랗게 피어 있었습니다.

봄에 엄마 아빠와 함께 야외로 피크닉 가서 본
민들레꽃보다 훨씬 작아서 꼭 내 양복의 단추만했습니다만
그것은 틀림없는 민들레꽃이었습니다.

나는 하도 이상해서 톱니 같은 이파리를 들치고 밑동을
살펴보았습니다. 옥상의 시멘트 바닥이 조금 패인 곳에
한숟갈도 안 되게 조금 흙이 모여 있었습니다. 그건 어쩌면
흙이 아니라 먼지일지도 모릅니다. 하늘을 날던 먼지가
축축한 날, 몸이 무거워 옥상에 내려앉았다가 비를 맞고
떠내려 가면서 그 곳이 움푹하여 모이게 된 것입니다.
그 먼지 중에 민들레 씨앗이 있었나 봅니다. 싹이 나고 잎이
돋고 꽃이 피게 하기에는 너무 적은 흙이어서 잎은

시들시들하고 꽃은 작은
단추만했습니다. 그러나 흙을 찾아
공중을 날던 수많은 민들레 씨앗
중에서 그래도 뿌리내릴 수 있는
한 줌의 흙을 만난 게 고맙다는 듯이
꽃은 샛노랗게 피어 달빛 속에서 곱게 웃고 있었습니다.

　도시로 부는 바람을 탄 민들레 씨앗들은 모두 시멘트로
포장한 딱딱한 땅을 만나 싹트지 못하고 죽어 버렸으련만,
단 하나의 민들레 씨앗은 옹색하나마 흙을 만난 것입니다.
흙이랄 것도 없는 한 줌의 먼지에 허겁지겁 뿌리내리고
눈물겹도록 노랗게 핀 민들레꽃을 보자 나는 갑자기
부끄러운 생각이 들었습니다. 살고 싶지 않아 하던 것이 큰
잘못같이 생각되었습니다.

　나는 집으로 돌아왔습니다. 온 가족이 나를 찾아 헤매다
돌아와서 슬피 울고 있었습니다. 엄마는 나를 껴안고 엉엉
울면서 말했습니다.

　"아무 일도 없었구나, 막내야. 만일 너에게 무슨 일이
있으면 나도 살아 있지 않으려고 했다."

　그 일은 그렇게 끝났습니다.

　그러나 그 일을 통해 사람은 언제 살고 싶지 않아지나를

알게 된 것입니다. 사람은 사랑하는 사람이 자기를
없어져 줬으면 할 때 살고 싶지가 않아집니다. 돌아가신
할머니의 가족들도 말이나 눈치로 할머니가 안 계셨으면
하고 바랐을 것이 틀림없습니다.

그리고 살고 싶지 않아 베란다나 옥상에서 떨어지려고
할 때 막아 주는 것은 쇠창살이 아니라 민들레꽃이라는
것도 틀림없습니다. 그것도 내가 겪어서 알고 있는
일이니까요.

그러나 어른들은 끝내 나에게 그 말을 할 기회를
안 주었습니다.

할머니는 우리 편

우리 집은 이사를 참 자주 다닙니다. 내가 이사가 뭐라는 걸 알 만큼 철이 나고 나서도 벌써 세 번이나 이사를 했습니다. 나는 지금 초등 학교 삼학년밖에 안 됐는데 그 동안에 전학을 두 번이나 해 보았습니다. 그러나 나는 이사가 싫다거나 좋다거나 하는 생각을 따로 해 본 적은 없습니다. 이사는 아주 큰일이니까 어른들이 알아서 할 일이지 아이들이 참견할 일은 아니라고 생각합니다.

내가 태어난 집은 셋방이었다고 하는데, 물론 나는 그 집이 생각나지 않습니다. 내가 세 살 때 처음 장만했다는 집도 잘 생각나지 않습니다. 내가 생각나는 집은 방이

둘 있고 봄이면 베란다에 페츄니아 꽃이 색색으로 피던

아파트입니다. 그 집으로 이사할 때 생각도 어렴풋이

납니다. 엄마는 연탄불을
안 갈아도 되는 아파트로 간다고
좋아했지만 나는 앞으로도 뒤로도 똑같은
아파트만 보이는 동네가 참 심심할 것 같았습니다. 그러나
그 집에서 나는 유치원도 다니고 초등 학교에 입학도
하면서 많은 친구들을 사귀었기 때문에 곧 심심하지 않게
되었습니다.

　일학년이 끝나고 이학년이 시작될 무렵 우리는 방이 셋
있는 아파트로 이사를 갔습니다. 학교도 전학을 했습니다.
　친척들이 우리가 이사 간 아파트에 와 보고 이 집은 참

빨리빨리 부자가 된다고 부러워했습니다. 엄마는
"부자는요, 현주가 곧 육학년이 될 테니까 공부방을 따로
주려고 무리를 해서 장만했답니다."라고 겸사[*]의 말씀을
했지만 속으로 은근히 뽐내고 싶은가 봅니다. 싱글벙글
입을 못 다물고 좋아했습니다.

현주는 우리 누나이고 그 때까지 할머니하고 같은 방을
쓰고, 나는 엄마 아빠하고 같은 방을 썼었는데 누나에게
독방이 생기면서 내가 할머니하고 같은 방을 쓰게
됐습니다. 엄마는 나도 혼자 쓰는 공부방을 가질 수 있도록
한 번만 더 이사를 가야겠다고 했지만, 나는 할머니와 같은
방을 쓰는 게 조금도 싫지 않았습니다.

할머니는 삼촌이나 고모들이 할머니 잡수시라고 사 온
과자나 과일을 숨겨 놓았다가 내가 입이 궁금할 때라든지
기분이 언짢은 때를 영락없이 알아맞추시고 꺼내 주시곤
했습니다. 이렇게 맛있는 걸 얻어먹을 수 있어서 할머니가
좋은 건 아닙니다. 만일 그렇다면 돼지밖에 더 되겠어요?
할머니의 정말 좋은 점은 내가 학교나 밖에서 보고 느낀 걸
할머니도 똑같이 느껴 주시는 겁니다.

*겸사 : 겸손한 말.

이를 테면 내가 좋아하는 친구를 할머니는 본 적도
없으시면서 좋아해 주시고, 내가 싫어하는 친구는 할머니도
싫어해 주시는 겁니다. 물론 나는 할머니와 많은 이야기를
하기 때문에 우리 반의 누구 누구는 왜 좋다는 얘기를
낱낱이 합니다. 그럼 할머니는 주의 깊게 들어 주시고
나서는 얼굴에 하나 가득 미소를 띠시고 이렇게
말씀하십니다.

"그 아이 참 귀엽고 될성부른 녀석이로구나. 할머니
마음에 꼭 드는구나."

그러고는 자주 그 아이 얘기를 하고 싶어하시고, 나보다
더 의리 있게 그 아이를 좋아해 주십니다. 또 내가 도무지
좋아할 수 없는 아이에 대해선 더 자세히 알고
싶어하십니다. 할머니가 하도 꼬치꼬치 싫어하는 까닭을
물으시면 귀찮기도 하지만, 싫어하는 까닭이 아무 근거도
없고 이치에 맞지 않는다는 걸 깨닫게 될 때도 있습니다.
그러면 그 아이를 미워하는 마음이 슬그머니 열없어지기도
합니다. 그러나 간혹 싫어하는 까닭이 더욱 분명해질 때도
있습니다. 그럴 때는 영락없이 할머니도 나의 싫어하는
마음에 공감해 주실 때입니다. 그럴 때 할머니는 슬픈 듯이
이렇게 말씀하십니다.

"그래 그래, 그런 비겁한 아이하곤 상종을 안 하는 게
좋겠다."

"그래 그래, 그렇게 거짓말을 잘 하는 아이하곤 안 노는
게 좋겠다."

이렇게 할머니는 내 친구들에 대해 뭐든지 다 알고
계시고 나하고 똑같은 생각을 하고 계셔서 나는 할머니를
내 친구 중 한 사람인 줄 착각할 때도 있습니다. 친구
중에서도 마음이 잘 통하는 친구처럼 공감을 같이 나눌
할머니가 계시다는 건 참으로 행복한 일입니다.

나는 이렇게 할머니하고 같은 방을 쓰는 게 조금도
싫거나 불편하지 않았는데도 엄마는 나도 독방을 갖게 하는
게 소원이었습니다. 엄마의 소원은 내가 삼학년 때
이루어져서 우리는 또 이사를 하게 되었습니다. 방이 하나
더 늘어나서 방 네 개짜리 아파트로 말입니다. 할머니와
나는 서로 딴 방을 쓰게 된 것을 잠깐 언짢아했을 뿐 곧 새
집을 좋아하게 되었습니다.

이번 아파트는 앞으로도 뒤로도 아파트만 보이는 그런
답답한 동네가 아니고 베란다에 나가면 넓은 들판과 작은
집들과 저 멀리 산들이 보였기 때문입니다. 들판에는 밭도
있지만 그냥 잡초가 무성한 빈 땅도 있고, 시뻘건 흙이

드러난 작은 언덕도 있고 오솔길도 있습니다. 할머니와 나는 저녁 나절이나 이른 새벽에 손 잡고 그 들판을 산책하기를 즐겼습니다.

"아아 오래간만에 흙 냄새, 풀 냄새를 맡으니 살 것 같구나. 이 곳 경치는 할머니가 태어난 시골만은 못하지만 그래도 많이 닮았다. 길수야, 난 이 곳이 좋구나. 이 곳에 오래오래 살고 싶구나."

그럴 때 할머니는 그 들판에 남아 있는 큰 나무가 너울너울 춤을 추는 것처럼 생기 있고 자유스럽고 행복해 보였습니다. 내가 좋아하는 거라면 뭐든지 같이 좋아해 주신 할머니입니다. 할머니가 좋아하시는 게 난들 안 좋을 리가 있겠습니까? 또 그 들판에서 나는 새로운 할머니를 발견했습니다. 할머니가 그렇게 훌륭한 자연 선생님이라는 걸 처음 알았습니다.

내가 자연 책에서 그림으로만 알고 있는 풀과 채소의 이름을 할머니는 그 들판의 자연 속에서 찾아내어 보여 주셨을 뿐 아니라, 자연 책에도 없는 온갖 풀 이름을 알고 계셨습니다. 토끼풀과 사금파리가 어떻게 다른가는 실제로 봐야지 그림으로는 도저히 구별할 수 없다는 것도 알게 되었습니다. 할머니는 달개비 이파리로 풀피리를 만드는

법도 가르쳐 주셨고, 쇠비름 뿌리로 '신랑 방에 불 켜라,
각시 방에 불 켜라' 하는 놀이를 할 수 있다는 것도 가르쳐
주셨습니다.

오이와 호박이 어떻게 덩굴을 뻗고 어떻게 열매를 맺나,
잎과 꽃이 서로 어떻게 다른가도 실제로 보면서 배울 수가
있었습니다. 어른들이 못생기거나 늙은 여자를 보고
호박꽃이라기에 미운 꽃인 줄 알았더니 아주 환하고 예쁜
꽃이었습니다. 어린 호박이 달린 암꽃은 특히 예뻤습니다.

이렇게 한바탕 들판을 헤매고 나면 마음이 상쾌해지면서
몸 속 깊은 곳에서 맑은 샘물 같은 기운이 솟는 걸 느낄
수가 있었습니다. 할머니와 나는 들판을 내다볼 수 있는
새 아파트가 마음에 쏙 들어 다시는 이사 가고 싶지가
않았습니다.

그러나 엄마는 이사 오자마자 또 이사 갈 궁리부터 하고
있다는 걸 알게 되었습니다. 어머니는 들판에 있는 작은
집들이 마음에 안 드나 봅니다. 아닌 게 아니라 거기 있는
집들은 작을 뿐 아니라 불결합니다. 하수도도 제대로 되어
있지 않고, 화장실은 몇 집에서 같이 쓰는데도 작고
수세식도 아닙니다. 나도 그런 집 앞을 지날 때면 얼굴이
조금 찡그려집니다. 엄마는 그 집들이 무허가 건물이라
언젠가는 헐릴 테지만 헐릴 때까지도 못 참겠다고 불평을
합니다.

　　"싼 맛에 이사를 왔더니만 싼 게 비지떡이지, 아유
이 파리 좀 봐. 밤엔 모기가 잉잉대고……"

　　엄마는 파리도 모기도 그 밖에 못된 것은 다 그 무허가
집들로부터 온다고 생각합니다. 그러니까 그런 집에 사는
아이들과 누나나 내가 같은 학교에 다니는 것도
불만입니다.

　　"더 작은 아파트로 가서 길수가 또 할머니하고 같은 방을
쓰는 한이 있어도 이사를 가야겠어요. 학군을 봐야 하는
건데, 여긴 학군이 틀렸단 말예요."

　　엄마가 아빠한테 이렇게 불평하는 걸 들을 수
있었습니다. 엄마와는 달리 나는 새 아파트는 물론 전학한

학교도 여간 마음에 든 게 아니었습니다. 특히 우리 반 반장은 내 마음에 쏙 들었습니다. 그리고 속으로 저 믿음직스러운 덩치 때문에 반장으로 뽑혔으리라고 짐작했습니다. 사귀어 보니 그게 아니었습니다.

덩치가 큰 만큼 마음도 커서 누구나 그 아이 마음에 들어갈 수가 있었습니다. 내가 싫어하는 비겁한 아이나 거짓말 잘 하는 아이까지도 받아들일 여유를 그 아이는 가지고 있었습니다. 뿐만 아니라 그 아이는 공부도 잘 했습니다. 줄창 일등은 아니었지만 줄창 일등짜리처럼 점수에 안달을 안 하고도 좋은 성적이 나왔기 때문에 더욱 그 아이의 공부가 돋보였습니다.

내가 반장을 좋아하는 마음 속에는 존경까지 섞여 있었습니다. 친구를 존경한다면 이상하게 들릴지 모르지만 나는 그게 조금도 이상하지 않았습니다. 존경이 섞이지 않은 우정은 우정도 아니라는 건방진 마음까지 들었으니까요.

어느 날 아침이었습니다. 일요일이라 늦잠을 자고 싶은데 새벽잠이 없으신 할머니가 나를 깨우셨습니다.

"길수야 할머니하고 산책가자. 할머니 호박이 더 컸나 길수 호박이 더 컸나 가서 봐 주자꾸나."

요전 일요일 할머니하고 나는 비슷하게 예쁜 애호박을
각각 하나씩 자기 호박으로 정해 놓고 누가 먼저 크나
경쟁을 시키기로 한 것입니다. 나는 아이들과 다름없이

장난꾸러기처럼 반짝이는 할머니의 눈빛에 이끌려
아침잠을 쫓고 들판으로 산책을 나갔습니다.

　거기서 반장을 만난 것입니다. 우리들의 호박이 자라고
있는 밭에 반장이 물을 주고 있었습니다. 가뭄이 계속되고
있어 타 들어가던 채소밭이 그 아이가 뿌려 주는 물을
머금고 싱그럽게 살아나고 있었습니다.

　"너도 우리 아파트에 사는구나?"

　나는 반가워서 소리 질렀습니다.

　"아니야, 우리 집은 바로 조오기야."

　반장은 호박밭 머리에 조그만 집을 가리켰습니다.
그 아이는 무허가 집에 살고 있었습니다. 무허가 동네는
파리나 모기나 그 밖에 나쁜 것들만 키워 내는 줄 알았더니,
그 아이처럼 건강하고 마음씨가 넓고 공부 잘 하는 아이도
키워 내고 있었습니다. 그 날은 일요일이라 바삐 집에
돌아가지 않아도 되기 때문에 나는 신이 나서 할머니에게
그 아이 얘기를 오래 할 수 있었습니다. 할머니가 그 아이를
좋아하시게 된 것은 말할 것도 없습니다.

　　엄마는 학군이 나쁘다는 핑계로 또 우리
집을 팔려고 하자 할머니가 아빠와 엄마를
같이 불러 놓고 말씀하셨습니다.

"아범아, 그리고 어멈도 듣거라. 여기처럼 좋은 학군은 다시 없을 게다. 전번 학교도, 그 전번 학교도 너희들은 부잣집 아이만 반장을 한다고 얼마나 불평이 많았니? 그게 너희들의 오해든 아니든 듣기 싫었는데, 이 학교는 얼마나 좋으냐? 조오기 들판에 무허가 오두막에 사는 아이가, 글쎄 길수 반 반장이지 뭐냐? 길수는 그 아이를 깊이 좋아하고 있단다. 나도 그 아이가 좋다. 길수를 그 아이와 오래 사귀게 하고 그 좋은 학교에서 졸업시키고 싶다. 난 이사에 반대다."

할머니가 그 때처럼 권위 있어 보인 적도 없습니다. 아빠와 엄마가 감히 반대할 엄두도 못 낼 만큼 권위 있어 보이는 할머니가 내 편이라는 건 너무도 든든한 일이었습니다.

마지막 임금님

옛날에 사시장철* 춥지도 덥지도 않게 날씨가 좋고
땅은 기름진 고장에 작고 아름다운 나라가 있었습니다.

그 나라를 다스리는 임금님도 그 나라의 자연만큼이나
자비로워, 그 나라의 백성들은 모두 행복했습니다.

나쁜 짓을 한 죄인을 가두기 위한 감옥이 오래 전부터
비어 있어 관광지가 된 지 몇 년째입니다. 백성들이 사는
고장은 어디나 맑고 청결하고 자유롭기 때문에 어둡고
더럽고 부자유스러운 곳이 백성들에게 인기 있는

* 사시장철 : 사철 내내

구경거리가 될 수 있었던 것입니다.

　사람들이 고르게 행복하니까 싸우거나 빼앗거나 속일 일이 없고, 그런 잘못을 가려 내어 벌을 주기 위한 법도 쓸모가 없게 되었습니다. 몇 장 안 되는 얇은 법전에 쓰여 있는 법조문을 써먹지 않은 지도 감옥을 써먹지 않은 것만큼이나 오래 되었습니다. 그럴 리야 없겠지만 써먹을 일이 생겨도 큰일입니다. 법조문들은 너무 오래 아무 일도 안 하고 햇빛을 본 일도 없어 죽어 버렸기 때문입니다.

　그러나 이 나라의 헌법만은 아직 살아 있습니다.

이 나라의 헌법은 일 조 두 줄로 되어 있습니다.

　'이 나라의 백성들은 고루 행복할 권리가 있다. 단, 임금님보다는 덜 행복할 의무가 있다.'

　이것이 이 나라 헌법의 전문입니다.

　이 나라를 세운 임금님은 백성들이 고루 행복한 나라를 만들려던 당초의 큰 뜻을 이룩했기 때문에 아무런 근심도 없어야 합니다. 그러나 나라를 이룩하기 위해 갖은 고생을 다한 임금님이 백성들보다 조금이라도 더 행복하지 못하면 억울하다고 생각하는 마음이 날로 더해서, 백성들이 헌법으로 정한 의무를 한 사람이라도, 하루라도 게을리할까 봐 늘 불안합니다.

그래서 도둑놈도 사기꾼도 없는 나라건만 많은 관리를
두어, 행여 임금님보다 더 행복한 사람이 생길까 봐
감시하는 일을 맡기고 있습니다. 그러나 아직 한 사람도
임금님보다 더 행복해서 붙잡히거나 벌받은 사람은
없습니다. 왜냐 하면 감시받고 있다는 두려움과 불안감
때문에 백성들은 조금씩이나마 고루 불행했기 때문입니다.
　　임금님의 또 하나의 근심은 자기가 죽은 후에 백성들이
마음놓고 행복하면 어떡하나 하는 것이었습니다. 임금님은
자기가 죽은 후에도 이 세상에 행복이 그대로 남아 있다는
것을 차마 용서할 수가 없었습니다. 임금님은 늙어 갈수록
그 생각으로 잠 못 이루는 밤이 많아졌습니다.
　　잠 못 이루고 생각을 거듭한 끝에 한 꾀가
떠올랐습니다. 그것은 임금님이 죽은 후에
백성들이 일제히 불행해질 수 있도록 그
예행 연습을 지금부터 백성들에게
시키는 일입니다.
　　궁성에서 조포가 슬피
울리는 것을 신호로
상점은 문을 닫고,
음악은 멎고,

백성들은 회색 옷을 입고 슬피 통곡하는 것입니다. 이 때 임금님은 궁성의 가장 높은 망루에서 온 나라가 슬픔에 잠긴 모습을 굽어보며 앞으로 다가올 죽음의 공포를 잊고 혼자만의 기쁨을 맛보는 것이었습니다.

임금님이 가짜로 죽고, 백성들이 그 후의 불행을 예행 연습하는 날은 처음엔 일 년에 한 번씩 있었습니다만 한 달에 한 번으로 늘어나고, 다시 일 주일에 한 번으로 늘어나고, 그러다가 아무 때나 임금님이 마음내킬 때에는 언제라도 하게 되었습니다.

불행의 예행 연습이 없는 날이면, 임금님은 몰래 궁성을 빠져 나와 백성들이 사는 마을로 미행을 다니기도 합니다. 임금님은 백성들이 임금님보다는 덜 행복해야 된다는 헌법이 잘 지켜지고 있나를 감시하는 일을 관리들에게만 맡기고 있으려니 안심이 안 되어 직접 눈으로 보고 싶었기 때문입니다.

미행을 다녀온 날이면 임금님은 다른 날보다 행복했습니다. 임금님이 만난 백성들은 하나같이 자주 있는 불행의 예행 연습 때문에 눈이 통통 부어 있고, 행여나 임금님보다 더 행복해지면 어쩌나 하는 불안으로 일그러져서 잘 먹고 잘 입고 잘 사는 것과는 상관없이

임금님보다는 덜 행복해 보였기 때문입니다.

그러던 어느 날입니다. 미행을 나갔다가 만난 한 사나이 때문에 임금님은 깜짝 놀랐습니다. 그 사나이는 임금님이 만난 어떤 백성하고도 달랐습니다. 그 사나이는 늙지도 젊지도 않은 나이에 보통으로 생긴 얼굴에 수수한 옷을 입고 있었는데도 임금님이 깜짝 놀랄 만큼 딴 사람과 달라 보였습니다.

궁성으로 돌아온 임금님은 그를 보고 깜짝 놀란 까닭에 대해 곰곰이 생각했습니다. 그러다가 무릎을 탁 치며 그 사나이를 처음 만났을 때보다 더 한층 놀랐습니다. 그 사나이는 백성들 중에서 뛰어나게 행복해 보였을 뿐 아니라 임금님보다도 행복해 보였던 것입니다.

임금님은 즉시 관리를 풀어서 그 사나이에 대한 조사를 하게 했습니다. 그 사나이의 신분은 마을의 우두머리인 촌장이었고, 아름다운 아내와 착한 아들 딸과 넓고 기름진 땅을 가지고 있었습니다. 그 사나이가 가지고 있는 것을 샅샅이 안 이상, 그를 임금님보다 덜 행복하게 만드는 일은 아주 쉬운 일입니다.

임금님은 그가 갖고 있는 것 중에서 가장 소중한 것 하나를 빼앗기로 했습니다. 그것은 촌장 자리입니다.

임금님은 뭐니뭐니 해도 권력처럼 사람을 행복하게 하는 것은 없다고 믿고 있었기 때문입니다.

촌장의 권력이란 임금님의 권력에다는 댈 것도 아닙니다. 마을에서 일어나는 자잘한 일을 간섭하고 해결하고, 마을 사람을 위해 옳다고 생각하는 것을 주장하고 처리할 수 있는 마을 안에서의 작은 힘에 지나지 않습니다. 그의 힘으로 처리한 일은 모두 보잘것 없는 일이었습니다. 한 신랑을 두고 두 여자가 시집 가고 싶어할 때 어느 여자를 시집 보낼 것인가, 부모님을 일찍 여의어 고아가 된 아이들을 뉘 집으로 입양시킬 것인가, 자식이 먼저 죽어 외롭게 된 노인을 누가 모실까 등을 당사자의 입장이 되어 오래 생각하고 불평이 가장 적은 방법으로 해결해 준 일이 있습니다.

이런 보잘것 없는 권력이나마 빼앗기니 촌장의 얼굴은 일그러졌습니다. 이제 촌장 아닌 보통 사람이 된 남자의 얼굴이 딴 백성들과 닮은 모습으로 일그러지는 것을 확인한 임금님은 만족했습니다.

그러나 이 나라 어디엔가 임금님보다 행복한 백성이 또 있을지도 모른다는 의심이 싹트기 시작했습니다. 그래서 다시 미행을 나가게 되고, 또 한 번 깜짝 놀랐습니다. 촌장

자리를 빼앗긴 사나이가 여전히 임금님보다 더 행복하게
살고 있었기 때문입니다.

　"당신은 촌장일 때와 마찬가지로 행복하군요."

　임금님은 지나가는 나그네처럼 말을 시켰습니다.

　"예, 처음에는 좀 서운했습니다만, 곧 달라진 건
아무것도 없다는 걸 알았습니다. 마을 사람들은 여전히
나를 존경하고 사랑해 줍니다. 그리고 무엇보다도 나에겐
처자식을 만족스럽게 입히고 먹일 재산이 있습니다."

　임금님은 속으로 권력보다는 재산이 더 사람을 행복하게
한다는 것을 알아차렸습니다. 임금님은 곧 궁성으로 돌아와
명령을 내려 그 사나이의 재산을 몰수했습니다. 처자식과
함께 그 사나이는 거지가 될 수밖에 없었습니다.

　그러나 이 나라 어디엔가 임금님보다 행복한 사람이
있을지도 모른다는 불안이 임금님에게서 아주 떠나진
않았습니다. 임금님은 다시 미행을 나섰습니다. 나라 안을
두루 돌다, 아니나 다를까 또 임금님보다 행복한 사람을
만났습니다. 그 사람은 같은 죄로 권력과 재산을 빼앗긴
그 사나이였습니다.

　"당신은 권력도 재산도 없으면서 여전히 행복하군요?"

　임금님은 지나가는 나그네처럼 말을 시켰습니다.

"예, 처음엔 못 살 것 같았습니다만, 곧 다시
행복해졌습니다. 권력과 재산이 있을 때에는 가족이 나를
얼마나 사랑하나, 내가 가족을 얼마나 사랑하나를 확인할
길이 없었습니다. 우린 이제 부족한 것투성이입니다.
부족한 것을 사랑으로 채우지 않으면 안 됩니다. 그래서
서로 더 많이 사랑하고자 애쓰다 보니, 보시다시피 이렇게
행복합니다."

임금님은 드디어 모진 결심을 했습니다. 그에게서
가족을 빼앗기로 말입니다. 그것은 이 나라를 세운 당초의

큰뜻 즉, 백성들을 고루 행복하게
하려는 것과는 크게 어긋나는
일이었습니다. 그러나 이 나라
백성이라면 꼭 지켜야 할, 임금님보다는
덜 행복해야 된다는 헌법을 어긴
것을 용서할 수는 없었습니다.
임금님도 백성에게
그런 모진 벌을 주기는
처음이라 매우 마음이
언짢습니다.
조금이라도

좋으니 임금님보다 덜 행복했으면 그런 벌을 안
내렸으련만, 참 욕심 많은 놈도 다 있다 싶습니다.

　사나이의 가족이 딴 나라로 추방되던 날, 사나이와 그의
가족은 어찌나 서럽게 울면서 서로 떨어지길 싫어하는지,
보는 사람마다 발길을 멈추고 동정의 눈물을 흘렸다고
합니다. 그들을 떼어놓는 일을 맡아 한 관리는 인정이 보통
사람보다 적은 사람이었는데도 가족이 아니라 생사람의
사지를 찢어 내는 것처럼 그 일을 하기는 마음 아픈
일이었노라고 두고두고 말했습니다.

　임금님도 마음이 아팠습니다.
이 나라에서 자기가 가장
행복하기 위해서 그렇게까지
했어야 옳았을까 하고
문득문득 뉘우쳤습니다.
뉘우치는 마음으로 괴로울
때마다 나라의 헌법을
지키기 위해선 그 방법밖에
없었다고 스스로를
위로했습니다.

　임금님은 다시 미행을

나섰습니다.

그 사나이 일이 마음에 걸려서입니다.
이 나라 백성이 임금님보다 더 행복한
것은 용서할 수 없는 일이지만, 이 나라
백성이라면 고루 행복할 수 있다는
권리를 너무 오래 빼앗는다는 것도
임금님의 자비심에 어긋났습니다.

그런데 이게 웬일입니까? 권력과
재물과 가족까지 잃고도 여전히
그 사나이는 행복해 보였습니다.
임금님보다 더 행복해 보였습니다.

"당신은 아직도 행복하군요? 권력도
재물도 가족까지 잃고 나서도……."

"가족과 헤어지는 고통은 정말로 참을
수가 없었습니다. 그 당시는 이 세상에서
가장 불행한 사람이 된 줄 알았습니다.
그러나 지금은 행복합니다. 가족은
인편으로 또는 바람결로 자주 소식을
보내 옵니다. 사랑하노라고요. 그리고 곧
다시 함께 살 날이 있을 거라고요.

사랑하는 사람들과 다시 함께 살 수 있을 거라는 희망이
나의 하루하루를 행복하게 해 줍니다."

임금님은 불같이 노해 궁성으로 돌아왔습니다. 그리고
먼 나라로 사람을 보내 끈질기게 행복하기만 한 사나이의
가족을 불러들여 사형에 처했습니다. 죄 없이 죽어 가는
사람을 보고 백성들은 임금님이 미친 게 아닌가 의심하면서
슬퍼했습니다. 그러나 법전의 말들은 옛날에 죽어 버렸기
때문에 임금님의 말이 곧 법이었습니다.

그리고 나서 한동안이 지났습니다. 사람을 함부로
죽이고 난 임금님은 점점 심성이 거칠어져 남의 말을
잘 믿지 않게 되고, 그래서 더욱 자주 미행을 다녔습니다.
그러다가 또다시 그 사나이를 만난 것입니다. 놀랍게도
그 사나이는 아직도 임금님보다 행복해 보였습니다.

임금님은 놀라움보다는 두려움을 먼저 느꼈습니다.
임금님이 신도 아닌 사람을 두려워하다니, 말도 안 됩니다.
임금님은 지나가는 나그네처럼 예사롭게 말을 하려 했지만,
목소리는 떨렸습니다.

"당신은 아직도 행복하군요? 외롭고 가난한 줄만
알았더니……."

"외롭고 가난합니다. 처음에는 너무 외롭고 가난해서

못 살 것 같았습니다. 그러나 차츰 외롭고 가난하기 때문에
누릴 수 있는 행복이 따로 있다는 것을 알게 되었습니다.
외롭고 가난하기 때문에 나는 아무에게도 아무것에도
매임이 없이 자유롭습니다."

임금님은 궁성으로 돌아와 끈질기게 행복하기만 한
사나이의 체포를 명령했습니다. 그 사나이의 자유를 빼앗기
위해 관광의 명소로 변한 감옥이 다시 옛날의 감옥으로
돌아가야 합니다. 대대적인 수리가 시작됐습니다. 녹슨
쇠창살은 튼튼한 새것으로 갈아 끼우고 헐어진 담장은 높이
쌓았습니다. 한 사나이의 자유를 빼앗기 위해 열 사람도
넘는 힘 센 사나이가 밤이나 낮이나 지켰습니다.

절망에 빠진 사나이가 슬피 우는 소리가 궁성까지
들렸습니다. 임금님은 자유야말로 그 사나이의 마지막
행복이었으리라고 생각했습니다. 사나이에게서 더 이상
빼앗을 것이 없어지자, 사나이에 대한 임금님의 관심도
없어졌습니다. 미행도 다니지 않게 됐습니다. 그 대신
임금님이 죽으면 백성들이 일제히 빠르게 불행해질 수
있도록 연습하는 불행의 예행 연습만 더 자주 시키게
되었습니다.

감옥에서 들리던 통곡 소리도 지친 듯이 가라앉고,

오랜 침묵이 계속됐습니다.

어느 날 임금님은 아름다운 노랫소리에 이끌려 궁성 밖으로 나갔습니다. 노랫소리는 높은 담장 안에서 들려오고, 담장 밖에는 임금님말고도 노랫소리에 이끌려 모여든 많은 백성들이 황홀한 얼굴로 노랫소리에 귀를 기울이고 있었습니다. 노랫소리를 듣는 동안 임금님은 이제껏 한 번도 느껴 보지 못한 새롭고 기이한 행복감에 몸을 떨었습니다. 그러나 노랫소리가 멎자, 임금님은 거기 모인 백성들과 똑같이 행복했었다는 것을 창피하게 생각했습니다.

임금님은 감히 임금님에게 창피를 준 노랫소리를 벌주어야겠다고 생각했습니다. 높은 담장 속은 감옥이었습니다. 임금님은 감옥에서 다시 그 사나이와 만났습니다.

그 사나이는 노래만 잘 부르는 것이 아니라 손재주도 있어 방 안에는 그가 만든 온갖 아름다운 것으로 가득 차 있었습니다. 지푸라기, 나무젓가락, 밥풀 등 보잘것 없는 것으로 만든 조형들이 영혼이 있는 것처럼 제각기의 신비한 표정을 지니고 서로 사이 좋게 어울려 있었습니다.

사나이와 임금님은 오래간만에 마주보았습니다. 사나이는 여태까지 임금님이 본 사나이 중에서 가장 행복해 보였습니다.

　이럴 수가, 세상에 이럴 수가……. 임금님은 드디어
두려움이 극도에 달해 떨리는 무릎을 사나이 앞에
꺾었습니다.

"너는, 너는 아직도 나보다 행복하구나!"

임금님은 이제 지나가는 나그네인 척할 만한 마음의 여유조차 없었습니다.

"예, 임금님. 저는 행복합니다. 처음 이 곳에 갇히고 나서는 미치거나 죽어 버리지 않으면 못 견딜 만큼 고통스러웠습니다만 차츰 그 고통을 아름다움으로 바꾸는 법을 알아냈습니다. 제 고통에서 태어난 아름다움을 통해 저는 담장 밖의 세상 사람하고도, 제가 죽은 후의 세상 사람하고도 자유롭게 만날 수가 있습니다. 저는 행복합니다. 임금님이 팔자를 바꾸래도 거들떠도 안 볼 만큼 행복합니다."

임금님은 눈물을 머금고 이 나라의 신성한 헌법을 끝끝내 어긴 죄인을 극형에 처하기로 했습니다. 헌법이란 백성의 목숨을 걸고도 지킬 만한 것이라고 임금님은 생각했습니다.

임금님은 손수 독배를 들고 사나이를 다시 찾았습니다. 제아무리 행복에 끈질긴 사나이기로서니 독배를 받들고서야 절망으로 일그러진 얼굴을 보여 줄 수밖에 없을 것입니다. 그리고 다시는 다시는 그 일그러진 얼굴을 회복시킬 기회는 없을 것입니다. 일그러진 얼굴이야말로 그 사나이의 영원한 얼굴이 될 것입니다.

복수의 기쁨으로, 임금님의 얼굴이야말로 사납게
일그러졌습니다.

"그대는 이 나라의 신성한 헌법을 한두 번도 아니고
수없이 모독한 죄로 이에 독배를 내리노라!"

꿇어앉아 메마른 나무젓가락에 이 세상을 온통 껴안을
수 있을 만큼 인자하고 너그러운 얼굴을 새기고 있던
사나이가 천천히 얼굴을 들었습니다. 사나이의 수척한
얼굴은 일그러지기는커녕 빈틈없이 평온해졌습니다.
때묻었으면서도 티끌 하나 없는 것처럼 순수했습니다. 그건
불행한 얼굴도 행복한 얼굴도 아니었습니다. 그런 것들을
통틀어 길러 낸 다만 아름다운 얼굴이었습니다.

임금님은 타는 듯한 질투를 느꼈습니다.
그 얼굴이야말로 임금님이 자기의 것으로 삼고 싶었던
얼굴이었기 때문입니다.

사나이는 독배를 받들면서 조용히 말했습니다.

"임금님의 은총이 하해와 같으십니다.* 이제야 아내와
아이들이 기다리고 있는 하늘나라로 가게 되었군요.

* 하해와 같으십니다 : 끝없이 넓고 크십니다.

쉬고 싶었습니다. 임금님보다 더 행복하게 살기는 참으로
힘든 일이었으니까요."

　"그대는 끝끝내 나를 이길 셈이군. 그렇지만 이번만은
안 되네, 이번만은 그대에게 질 수가 없어. 이번에 지면
영원히 만회할 수가 없을 테니까."

　사나이가 입으로 가져가려는 독배를 임금님은 황급히
빼앗더니 대신 마셔 버렸습니다.

몸보다 마음이 잘 사는
삶을 위한 이야기

박덕규
소설가·협성대학교 문예창작과 교수

누구나 어린 시절에는 장난감과 과자와 만화책 따위를
얻으려고 욕심을 부리고 그것들을 가지고 즐기는 때도 많다.
또는 그 못지 않게, 말로는 쉽게 드러낼 수 없는 것들에 대해
생각하면서 그것을 그림이나 글이나 상상으로 표현하려 애쓰며
시간을 보낸 때도 많다. 그런데 사람들은 이런 두 종류의 체험
중에서 두 번째의 사실에 대해서는 갈수록 소중하지 않게
생각하고 살아가게 된다. 많은 사람들이 관심을 갖게 되는 것은
주로 먹고 싶은 걸 마음대로 먹으며 편하게 살면서 남들 위에
군림하게 되는 일과 관련이 있다. 요즘, 이제 한창 자라나는
어린이들도 자기 것을 더 많이 얻고 마음껏 즐기며 편하게 사는
세상을 얻으려고만 애를 쓰는 사람들로 바뀌어져 가고 있는
듯하다.

당장 눈앞의 편리와 이익과 쾌락을 얻기 위해, 눈에 보이지
않아서 그것이 우리에게 어떤 도움을 주는지 알 수 없는 것들에
대해서는 아예 생각하지 않거나 않으려는 사람이 너무 많아진
세상. 이러한 세상은 과연 살 만한 곳인가?

오늘의 작가 박완서는 바로 이 점에 대해 물음표를 던진다.
그리고 그런 세상의 겉과 속을 들추어 내고, 진정한 세상을
위해서는 보이지 않는 것들을 향하는 우리들의 마음이 얼마나
중요한가를 알려 주는 다양하고 재미있는 여섯 개의 이야기를
우리 앞에 풀어 놓고 있다.

우선 그는 '옥상의 민들레꽃'이라는 이야기에서 눈앞의 것만 생각해 온 사람들이 가꾸어 이룩한 세상을 이렇게 설명한다.

우리 궁전 아파트는 살기 편하고 시설이 고급이고 환경이 아름답기로 이름이 난 아파트입니다. 우리나라에서 나는 물건은 물론 외국에서 들여온 물건까지 없는 것 없이 갖추어 놓은 슈퍼마켓도 있고, 어린이를 위한 널찍한 놀이터도 있고, 아름다운 공원도 있고, 노인들을 위한 정자도 있고, 사람의 힘으로 만든 푸른 연못도 있습니다.

누구나 부러워하는, 없는 것 없이 풍족한 집에서 사는 것. 그것이야말로 보통의 사람이라면 누구나 꿈꾸는 일일 것이다. 그런데 이 부족할 것 없는 곳에서 사는 사람들에게 너무나 큰 고민거리가 하나 생겼다. 궁전 아파트에 사는 할머니 두 분이 연이어서 투신 자살한 사건이 일어난 것이다. 아파트 주민들은 이 일로 소위 '궁전 아파트 사고 수습 대책 협의회'를 개최해 그 사고에 대한 수습 대책 방안을 모색하게 된다. 모인 사람들은 그런 사고가 자꾸 일어나면 소문이 퍼지게 되고, 그렇게 되면 "아파트 값은 당장 똥값이" 될지도 모른다며 그 걱정에만 빠진다. 그들은 무엇보다 "이번 사고를 입 밖에 내지 않겠다"는 다짐을 하며, 다시는 그런 사고가 발생하지 않는 방안을 찾는

일에 골몰한다. 베란다에 일제히 쇠창살을 달자는 둥, 베란다
유리창에 자물쇠를 달자는 둥, 몇 가지 의견이 제시되지만 그게
다 아파트 값을 떨어뜨리는 요인이 될 뿐이라는 판단이 내려지게
되고, 이번에는 할머니들의 자살 원인을 밝히려는 노력을 하게
되지만 역시 명확한 답을 얻는 데는 실패하고 만다.

'옥상의 민들레꽃'에서의 이러한 주민들의 태도는 또다른
부자 아파트 촌이 배경이 되는 이야기 '시인의 꿈'에서도
확인된다. "얼음판처럼 매끄럽고, 티끌 하나 없이 정갈한 아파트
광장"에 낡은 자동차 모양의 무허가 판잣집 하나가 들어서자,
주민들은 경악을 금치 못하게 된다. 그들은 그 집을 없앨 방법을
강구하기에 부산하다. 시청에 신고해 그 집을 불도저로 밀어
버리려 했으나 무허가 판잣집을 없애는 법령이 삭제된 지
오래인지라, 결국은 그 집 주인 노인이 빨리 늙어 죽어서 손쉽게
철거할 수 있게 되는 날만을 기다릴 수밖에 없다.

'옥상의 민들레꽃'이나 '시인의 꿈'의 주민들은 모두
자신들이 사는 곳이 가장 값이 비싸고 그래서 가장 살기 편한
곳이라 생각하고 있다. 그들은 그런 곳에서 투신 자살 사건이
일어나고 무허가 판잣집이 생기는 일 따위를 전혀 이해하지 못할
뿐 아니라, 그런 일로 아파트 값이 떨어지고 그래서 천한 곳으로
여겨질까 봐 걱정이 태산 같다. 실은 그들이 진정으로 걱정해야
할 일은 그것이 아닌데도 말이다. 우리의 작가 박완서는 오늘의

이야기를 통해 그들이 진정으로 걱정하고 진정으로 귀하게
여겨야 할 것이 무엇인가를 그 곳에서 사는 몇몇 눈 맑은 아이를
통해 들려 주고 있다.

'옥상의 민들레꽃'에서 자살 방지 대책을 정확하게 알고
있었던 주인공이 그 대표적인 아이다. 어느 날 그 아이는 엄마가
자신을 거짓으로 사랑하고 있다고 오해하고 자살을 하기 위해
옥상으로 올라간 적이 있었다. 그 때 옥상 한구석에서 작은
민들레꽃을 보게 되었다.

　　도시로 부는 바람을 탄 민들레 씨앗들은 모두 시멘트로 포장한
　딱딱한 땅을 만나 싹트지 못하고 죽어 버렸으련만, 단 하나의 민들레
　씨앗은 옹색하나마 흙을 만난 것입니다. 흙이랄 것도 없는 한줌의
　먼지에 허겁지겁 뿌리내리고 눈물겹도록 노랗게 핀 민들레꽃을 보자
　나는 갑자기 부끄러운 생각이 들었습니다. 살고 싶지 않아 하던 것이
　큰 잘못같이 생각되었습니다.

세상은 딱딱한 시멘트로 포장되어 도무지 민들레 씨앗이 머물
흙조차 보기 힘들게 되었는데, 그 민들레 씨앗이 아파트 옥상에
쌓인 "흙이랄 것도 없는 한줌의 먼지에 허겁지겁 뿌리내리고"
꽃을 피운 모습을 보고 뭔가를 새롭게 느끼는 아이의 마음을
그린 대목이다. 메마른 땅 한구석, "흙이랄 것도 없는 한줌

먼지"에 뿌리를 내린 민들레 씨앗의 생명력은 참으로 놀라운
것이었다. 그런데 어쩌면 민들레 씨앗뿐 아니라 이 세상에서
숨쉬는 모든 생물들이 스스로 자기 안에 그와 같은 놀라운
생명력을 지니고 있는 것인지도 모른다. 아이는 민들레꽃을 보는
순간 바로 그 점을 느꼈는지도 모른다. 더 참담한 환경에서
그 작은 민들레 씨앗도 힘차게 살아 꽃을 피워 내는데, 그보다
훨씬 좋은 조건 속에서 살고 있는 자신은 스스로의 생명력을
하찮게 여기고 함부로 목숨을 버리려고 했다는 사실을 깨닫고
있었으리라. 때문에 아이는 할머니들이 만일 그 옥상의
민들레꽃을 보기만 한다면 결코 자살을 꿈꾸지 않을 것이라고
확신한 것이다. '옥상의 민들레꽃'에서의 아이는 이처럼, 작지만
힘찬 생명의 모습에서 우리가 진정으로 귀하게 여겨야 하는 것이
무엇인지에 대해 스스로 깨달은 것이다.

   '할머니는 우리 편'에서의 길수도 이와 같은 맥락에서 주목할
만한 아이다. 길수네는 남들이 "이 집은 참 빨리빨리 부자가
된다"고 부러워할 정도로 괜찮은 집인데도 길수 부모들은 이사
간 순간부터 더 크고 학군도 좋은 집으로 이사 갈 궁리를 하고
있다. 그러나 길수는 언제나 길수 편에서 생각하고 대꾸하고
행동해 주시는 할머니와 한 방을 쓰게 돼 오히려 더 좋아하고
있다. 길수가 책에서만 알고 있는 풀과 채소의 이름을 할머니는
자연 속에서 함께 찾아내 보여 주시는 분이다. 할머니와 "들판을

헤매고 나면 마음이 상쾌해지면서 몸 속 깊은 곳에서 맑은 샘물 같은 기운이 솟는 걸 느낄 수" 있다. 한데도 엄마는 들판의 무허가 집들 때문에 불평이 대단하다. "싼 맛에 이사를 왔더니만 싼 게 비지떡이지" 하는 말로 이사 갈 뜻을 숨기지 않는다. 마침내 길수 부모가 이사 계획을 밝혔을 때 할머니는, "부잣집 아이만 반장을 한다고" 불평하던 학군보다는 길수 반 반장 아이가 "조오기 들판에 무허가 오두막에" 살면서 채소밭을 가꾸며 넓은 자연의 마음을 배우고 사는 이 곳에서 길수를 졸업시키고 싶다고 반대한다. 할머니의 말은, 그저 깨끗한 곳에서 편리하게 사는 삶보다는 조금은 지저분하고 불편하더라도 자연과 호흡하며 욕심 내지 않고 사는 삶이 더 소중하다는 주장이기도 하다. 할머니의 말 그대로, 풀과 채소와, 호박밭과 그 곳에서 사는 친구가 있는 곳에서 그대로 살기를 원하는 길수 또한 인간이 진정으로 어떤 삶을 살아야 하는가를 잘 알고 있는 아이다.

　'시인의 꿈'에서의 소년 또한 '할머니는 우리 편'에서의 길수와 마음이 닮은 아이다. 깨끗한 아파트 촌에 불쑥 생겨난 무허가 판잣집을 기웃거리던 소년은 그 안에서 사는 시인 할아버지와 만나게 된다. 소년은 할아버지에게서 인간 사회에서 사라진 곤충이며 아름다운 노래 들에 대한 얘기를 듣는다. 할아버지는 사람들이 땅을 시멘트로 발라 버려 곤충의 애벌레가

살아나오지 못하게 되고, 또 해로운 곤충을 마구 죽임으로써
생태계가 파괴되어 이로운 곤충들까지도 사라져 버렸다고 했다.
또 사람들은 몸이 잘 사는 일에 쓸모 없어 보이는 일을 못 하게
금지시킴으로써 결국 인간에게서 시를 쓰는 마음까지도 앗아간
것이라고 했다. 대신 이 세상에는 자기 욕심을 채우는 데 필요한
말만 남게 되었으니, 시인인 할아버지는 몸보다 마음이 잘 사는
데 필요한 말을 찾아 시로 쓴다고 했다.

　할아버지는 "몸이 잘 산다는 건 편안한 것에 길들여지는"
것이고, 반면에 "마음이 잘 산다는 건 편안한 것으로부터 놓여나
새로워진다는" 것이라고 했다. 그러니까 시를 생각하는 마음은
곧 "무한한 자유를 원하는 마음"이다. 사람들은 몸이 잘 사는
일에 골몰하다가 편안함에 길들여져 버렸고, 자유를 향하는
무한한 세계를 잃어버렸다. 소년은 할아버지의 얘기를 들으며
어느덧 사람들이 잊고 있었던 그 자유를 향하는 꿈틀거리는
마음을 느끼며 기뻐하게 된다.

　'옥상의 민들레꽃', '시인의 꿈', '할머니는 우리 편'에서 각각
등장하는 아이들은 흔히 사람들이 편한 것을 얻으려다 결국엔
놓쳐 버린 자연의 세계, 시인의 마음을 향해 눈을 뜨고 다가가
감싸안으며 새롭고 자유로운 세상을 꿈꾸고 있는 아이들이다. 그
모습은 우리가 지키고 따라야 할 순수하고 아름다운 모습이 아닐
수 없다. 그러나 실은 그 모습이란 이 세상에 몸을 담고 몸이

잘 살기만을 바라고 사는 사람들의 처지에서 보면 받아들일 수 없는 것들이다. '옥상의 민들레꽃'에서 민들레꽃의 힘찬 생명을 본 아이는 그 사실에 대해 결국은 말도 못 하고 말았다. 사람들은 그런 아이들에게는 더 큰 시련을 내려 그들의 꿈을 가로막아 버린다. 때로는 같은 아이들끼리도, 그렇듯 자연의 세계에 몸담고서 몸보다 마음이 잘 사는 일이 무엇인지 생각하고 행동하는 우리의 친구들의 꿈을 짓밟기 일쑤다.

　가령 '달걀은 달걀로 갚으렴'에서 한뫼는 같은 또래의 도시 아이들에게서 크게 상처받은 아이다. 한뫼가 다니는 학교의 5,6학년 담임 선생님은 학년 초에 6학년 아이들에게 암탉 두 마리씩을 나눠 주고는 그것으로써 달걀을 낳아 팔게 함으로써 그 돈으로 가을 수학 여행비에 충당하도록 했다. 중학교 2년생인 한뫼는 바로 2년 전에 그와 같은 방법으로 도시로 수학 여행을 떠난 바 있다. 그 한뫼가, 2년 뒤 동생 봄뫼가 같은 방법으로 학교에서 받은 암탉 두 마리를 잘 기르려고 하는데 그걸 잡아먹어 버리겠다고 협박을 한 것이다. 담임 선생님이 그걸 봄뫼한테 듣고 슬며시 이유를 알아본즉, 그 수학 여행 때 도시 아이들에게 업신여김을 당한 사실 때문에 그걸 보복하려 했다고 고백하기에 이른다. 한뫼는 그 때 텔레비전을 보면서 업신여김당한 일을 스스로 이렇게 말한다.

"그리고 한자리에서 달걀을 백서른 개나 먹는 아저씨도
보았어요. 그 아저씨는 어찌나 달걀을 빠르게 먹던지 옆에서 깨뜨려
주는 사람이 미처 못 당할 정도였어요. 그렇지만 그 뱃속 큰
아저씨도 백 개를 넘게 먹고 나서부터는 삼키기가 괴로운지 계란
흰자위는 입아귀로 줄줄 흘리면서 목을 괴롭게 빼고는 억지로
먹더군요. 민박한 집 아이들은 손뼉을 치며 재미나 하는데 저는
이상하게 울고 싶었어요."

한뫼는, 도시로 수학 여행을 가려고 봄부터 닭을 길러 그
달걀을 내다 파는 자신의 오랜 정성이, "달걀을 천대하는 것을
구경하며 손뼉 치고 깔깔대던 도시의 아이, 어른"들의 모습을
보면서 철저하게 천대받았다고 생각한 것이다. 그 이후 한뫼는
자신을 "업신여기던 도시에 대해 어떻게든 앙갚음하지 않으면
안 될 것 같은 생각에 시달리고" 있다.

착하고 바르게 꿈을 키우며 사는 아이에게 찾아든 이 같은
정신적인 시련은 '자전거 도둑'에서 누구보다 성실하게 일하면서
내일을 향해 꿈을 키워 나가는 수남이에게도 찾아왔다. 청계천
세운상가 뒷길의 전기 용품 도매상의 점원인 수남이는 열여섯
살이나 되었지만 아직 "꼬마 점원"으로 통한다. 굵은 목소리
외에는 어린아이같이 여리고 깨끗한 모습을 하고 있기 때문이다.
그런데도 "세 명은 있어야 해 낼 가게 일을 혼자서

해" 내느라 "온종일 눈코 뜰 새 없이 바쁘게 일을 하고" "밤에는
가게 방에서 숙직을 한다." 주인 영감은 이런 수남이에 대해
"대학도 가고 박사도 될" 사람이라며 칭찬을 해 대며 "내년 봄에
시험 봐서" 고등 학교에 가라고 독려해 준다. 고등 학교에 갈
생각만 하면 "심장에 짜릿한 감전을 일으키며 가슴을 온통
휘젓는 이상한 힘이" 생기는 수남이, 그래서 더욱 부지런하게
일을 한다. 그런데 그런 수남이에게 가혹한 시간이 찾아온다.
어느 바람 몹시 부는 날 자전거를 타고 수금을 하러 나갔다가
길에 세워 둔 자전거가 넘어지면서 남의 자동차를 들이받는
사고를 맞은 것이다. 차 주인이 변상하기 전에는 자전거를
가져갈 수 없다며 자전거에다 자물쇠까지 채워 놓는다. 수남이는
수금해 온 주머니 속 "만 원 생각만 하면 얼굴이 화끈대고
공연히 무섭기까지 하다. 그렇지만 주인 영감님을 위해
그 돈만은 죽기를 무릅쓰고 지킬 각오를 단단히 한다." 착한
수남이에게는 너무나 가혹한 시련이 아닐 수 없다. 이 시련
앞에서 수남이는 결국 일시적으로 도피하는 방법을 택한다.
차 주인이 없는 틈을 타 자물쇠가 달린 자전거를 들고 달아나고
만다.

　내일을 향해 마음을 열고 밝고 순수하게 살아가려는 우리의
친구들에게도 어김없이 찾아드는 시련…… 이런 형태의 시련은
'마지막 임금님'에서 더욱 무시무시한 이야기로 드러난다. "이

나라의 백성들은 고루 행복할 권리가 있다. 단, 임금님보다는 덜
행복할 의무가 있다." 이런 특별한 헌법으로 나라를 다스리는
임금님이 있다. 실제로 백성들은 임금님보다 더 행복한 사람이
있나 감시하는 관리들 때문에 덜 행복해지려고 애를 써야 해서
불행한 것만 빼고는 대체로 행복한 삶을 살고 있다. 그런데 이
나라에 임금님보다 행복해 보이는 사람이 있다는 사실이
밝혀진다. 한 마을의 촌장이 바로 그였는데, 임금님은 그로부터
행복을 빼앗기 위해 촌장 자리를 빼앗아 버린다. 그 촌장이
처음에는 고통스러워하다 다시 행복해진 것을 안 임금님은
이번에는 그에게서 재산을 빼앗는다. 그러나 그가 또다시
행복해지자 임금님은 가족을 처형하고, 그를 감옥에
가두면서까지 그를 불행에 빠뜨리려 한다. 이렇듯 어떻게 해도
그가 불행해지지 않자 끝내는 그에게 사약을 내리고 만다.

　풀과 꽃과 바람과 친구가 되는 마음으로, 새로운 세상을
꿈꾸고 노래하는 마음으로 살아가려는 사람들은 왜 이처럼 큰
시련을 겪어야 하는 것일까. 그것은 우리가 이미 몸이 잘 사는
삶을 살아가고 있으며, 또한 그 욕심이 너무 커서 그것을
만족시켜 주지 못하는 삶을 전혀 용납 못 하기 때문일 것이다.
그래서 '시인의 꿈'에서의 시인 할아버지는 이제 죽음의 시간
속으로 가야 할 사람이며, '옥상의 민들레꽃'에서의 아이는
그 눈물겨운 꽃 얘기를 할 수가 없으며, '할머니는 우리

편'에서의 길수도 어쩌면 머지않아서 결국 부모의 뜻을 따라
살기 편하고 학군도 좋은 곳으로 이사를 가야만 할 것이다.
그러나 오늘 우리의 이야기가 여기에서 머물 수는 없는 법.
이미 '달걀은 달걀로 갚으렴'에서 한뫼는 담임 선생님의 얘기를
듣고 자신을 업신여긴 도시 아이들을 초청해 정말 살아 있는
다양하고 신비로운 것들로 이루어진 자연의 힘을 보여 줌으로써
그 앙갚음을 대신하려는 의젓한 소년으로 탈바꿈해 있다.
또 '마지막 임금님'에서 임금님보다 행복하다는 이유로 고통을
당해야 했던 촌장은 고통을 받을수록 더욱더 자연을 닮은 얼굴이
되어 마침내는 심금을 울리는 황홀한 노래를 만들어 내고
"지푸라기, 나무젓가락, 밥풀 등 보잘것 없는 것으로" 영혼이
깃들여 보이는 온갖 신비한 조형들을 만들어 낸다. "고통을
아름다움으로 바꾸는 법을 알아"낸 그에게 사약을 내린 임금님은
더이상 그가 행복한 표정을 짓지 못하게 하기 위해 스스로
그 사약을 마셔 버린다. 자연을 닮은 촌장의 마음만은 끝내
훼손할 수 없었던 것이다.

　　또한 '자전거 도둑'에서 주인 영감의 돈도 지켜 주고 스스로도
안전해 질 수 있게 본의 아니게 '자전거 도둑'이 되고 만
수남이의 경우는 어떤가? 수남이의 죄는 사실 부주의에 따른
예기치 않은 사소한 실수로 나타난 것이긴 해도 어째든 피할 수
없는, 그래서 아주 작게나마 마땅히 죄값을 치러야 할 일이었다.

그런데도 수남이는 고민하다가 자동차 주인이 없는 틈을 타서
그로부터 도망가고 말았다. 그 사고를 구경하던 구경꾼들도
수남이에게 자전거를 들고 도망가라고 부추겨 주었다.
또 수남이의 후원자임을 자처했던 주인 영감마저도 그 이상한
도둑질에 "도덕적으로 자기를 견제해" 주기는커녕 오히려 손해
안 난 것만 통쾌해 하면서 자전거에 채워진 자물쇠를 분해하는
데만 몰두한다. 주인 영감의 돈도 지키고 자전거도 지킨
수남이로서는 이제 안심이다. 그러나 우리의 주인공 수남이의
진정한 갈등은 이 때부터 시작되고 있다.

　　낮에 내가 한 짓은 옳은 짓이었을까? 옳을 것도 없지만 나쁠 것은
또 뭔가. 자가용까지 있는 주제에 나 같은 아이에게 오천 원을 우려
내려고 그렇게 간악하게 굴던 신사를 그 정도 골려 준 것이 뭐가
나쁜가? 그런데도 왜 무섭고 떨렸던가. 그 때의 내 꼴이 어땠으면
주인 영감님까지 "네놈 꼴이 꼭 도둑놈 꼴이다"고 하였을까.
　　그럼 내가 한 짓은 도둑질이었단 말인가. 그럼 나는 도둑질을
하면서 그렇게 기쁨을 느꼈더란 말인가.
　　…중략…
　　혹시 내 피 속에 도둑놈의 피가 흐르고 있기 때문이 아닐까.
순간 수남이는 방바닥에서 송곳이라도 치솟은 듯이 후닥닥
일어서서 안절부절을 못하고 좁은 방안을 헤맸다.

이렇게 시작된 갈등은 그러나 손쉬운 결말에 이르는 것은 아니다. 어쩌면 그 점이 '자전거 도둑'을 더욱 의미있는 작품으로 만들고 있는지도 모른다. 고민 끝에, '자전거 도둑'이 되는 순간 느낀 "떨리고 무서우면서도 짜릿"한 쾌감을 스스로 "자기 내부에 도사린 부도덕성"이라 규정 지은 수남이는 그러나 당장 자신의 죄값을 치르는 길을 택하지 않는다. 수남이에게 더 필요한 것은 그런 부도덕성을 언제고 마땅히 경계하고 충고해 줄 수 있는 진정한 어른이었던 것이다. 그런 어른이 사는 "바람이 물결치는 보리밭"의 고향을 향하기 위해 짐을 꾸린 수남이의 모습은 매우 인상적이다.

　　마침내 결심을 굳힌 수남이의 얼굴은 누런 똥빛이 말끔히 가시고, 소년다운 청순함으로 빛났다.

　이는, 이 세상이 아무리 몸이 잘 사는 삶을 위해 사는 사람들의 세상이 되었다 해도 마음이 잘 사는 삶을 꿈꾸는 사람이 여전히 우리의 친구로 남아 있다는 사실을 입체적으로 보여 주는 장면이라 할 수 있다. 이제 우리는 이러한 친구들을 통해 우리 자신이 추구해야 하는 삶이 어떤 것인가를 깨우칠 수 있을 것이다.

작가 박완서는, 조선조 말부터 6·25 동란까지 개성 지역을
배경으로 한 가족사의 운명적 삶을 그린 대하소설 "미망"을 통해
우리에게 깊이 각인되어 있는 작가다. 나아가, "나목", "그 해
겨울은 따뜻했네" 등에서 현실적인 관점에서 분단 문제를 새롭게
수용하고 있었는가 하면, "휘청거리는 오후", "도시의 흉년"
등으로 도시 소시민들의 삶의 풍속과 그 허위의식을 드러내기도
했고, "살아 있는 날의 시작", "그대 아직도 꿈꾸고 있는가"
등으로 여성들의 주체적인 삶이 어떤 것인가를 조명하기도
하면서 20세기 한국 소설사의 후반부를 화려하게 장식해 온
작가이기도 하다. 오늘 우리에게 전하는 여섯 개의 이야기는
그런 중에서도, 인간 사회를 혼탁하게 한 것이 무엇인지를
뚜렷하게 드러내면서 정직하고 용기 있는 주인공들을 통해
그것을 극복할 수 있는 힘이 어디에서 생겨나는지를 재미있고도
의미심장하게 일깨워 주고 있는 작품들이다.